Jardins aquatiques

TEXTES

Suzanne Millarca

Imprimé en France

ÉDITIONS S.A.E.P. 68040 INGERSHEIM - COLMAR

Sommaire

L'eau, symbole de sérénité

Le jardin aquatique n'est pas une invention récente : l'eau était déjà présente dans les fameux jardins suspendus de Babylone, 3 000 ans avant notre ère, et, dans l'Égypte ancienne, la plupart des jardins s'organisaient autour de plans d'eau rectangulaires. On la retrouve dans les jardins zen au tracé dépouillé, où elle encourage très fortement à la méditation, tout comme dans les jardins clos d'Orient où sa présence a une forte connotation métaphysique.

Plus tard, dans les jardins de la Renaissance, l'eau devient l'élément indispensable à toutes sortes de mécanismes et de dispositifs compliqués : elle est mise en mouvement et en scène à l'intérieur de labyrinthes, de grottes. Elle se déploie dans des jets sophistiqués...

Depuis, sa présence ne se dément pas au gré des styles : des pièces d'eau ordonnées des jardins « à la française » du château de Versailles à l'imitation plus libre et plus sauvage de la nature..

Aujourd'hui, les jardins aquatiques ont leur inspiration dans une époque particulière ou bien se contentent tout simplement de mettre un détail en valeur. Ce qui, dans tous les cas, suffit souvent à créer un lieu singulier et magique. Ce n'est pas un hasard si l'eau est ainsi omniprésente : elle est un principe primordial et vital. Considérée comme un bienfait, et comme une source de pureté, elle participe à de nombreux rites sacrés. Les villages puis les grandes villes se sont édifiés autour de lacs et de rivières : outre les raisons pratiques liées à toutes sortes de commodités, le cours d'eau est aussi un symbole puissant.

Méditer au bord de l'eau, contempler les merveilleux nénuphars ou les poissons exotiques multicolores procurent d'uniques sensations : Non seulement l'eau apporte une impression de paix mais elle transforme radicalement un jardin. L'espace semble s'agrandir, le lieu prend une autre dimension.

Quels que soient l'espace et le budget dont on dispose, de la vasque a l'immense bassin, il y a toujours moyen, si on le désire, d'aménager une pièce d'eau dans son jardin. Toutes sortes de plantes aquatiques extraordinaires s'y développeront sans difficulté, et quelques hôtes – oiseaux, poissons, batraciens, etc. – trouveront là un refuge particulièrement précieux. Pour le bonheur des yeux et des oreilles.

Créer un jardin aquatique

Lieu de plaisir, le jardin aquatique doit satisfaire vos rêveries. Avant toute réalisation, il s'agit de prendre le temps de la réflexion.

Les choix préliminaires
- Le choix esthétique, le style
- L'emplacement
- Les dimensions
- La profondeur

Les équipements techniques
- L'alimentation en eau
- Installer un trop-plein
- Le choix de la pompe et son installation
- Les systèmes de filtration
- L'éclairage

L'installation du bassin
- Tracer un plan
- Les travaux
- Les membranes souples
- Les bassins préformés
- Les résines de synthèse
- Le béton armé

La décoration
- Fontaines
- Cascades
- Ponts, passerelles
- Gués

Les choix préliminaires

Le choix esthétique, le style

La forme dépend en grande partie du style de la maison et de celui du jardin. En principe, le bassin doit s'intégrer avec harmonie au paysage ambiant.

Le jardin aquatique doit être avant tout un lieu de plaisir. Il doit donc répondre à vos attentes et à vos rêves. Pour ne pas être déçu par sa réalisation, vous devrez prendre le temps d'en imaginer l'ambiance, de penser précisément au style que vous désirez lui donner. Il implique parfois d'importants et de coûteux travaux : par conséquent, il s'agit de ne pas se tromper. Son emplacement et sa conception doivent aussi faire l'objet d'une longue réflexion préalable.

De forme géométrique et simple, rond, ovale, carré ou rectangulaire, il mettra en valeur la présence de l'eau et ses reflets et ne cassera pas l'équilibre général. Pourquoi ne pas l'installer de façon qu'il reflète un arbre, une statue, le ciel… ?

Mais vous avez aussi le droit de donner libre cours à votre imagination et d'adopter un style beaucoup plus informel. Une forme triangulaire, par exemple, introduira davantage de complexité. Le bassin peut aussi suivre les courbes de niveau du sol ou encore le dessin d'une pelouse… Plus naturel et plus sinueux, il attirera davantage la faune sauvage qui affectionne les espaces isolés et bien abrités comme les petits îlots. Poissons et oiseaux aquatiques ont besoin de se sentir en sécurité et à l'abri du vent. La construction sera évidemment plus difficile que celle d'un bassin classique, tout comme l'entretien qui risque de réclamer davantage d'efforts.

Quant au style, il en existe bien sûr une infinité : classique, sauvage, exotique, méditerranéen, tropical, zen… Dans tous les cas, il est préférable de respecter une unité, de viser la cohérence. Une seule idée, un thème unique doit guider votre choix, mieux vaut éviter les jardins composites.

8

LA LÉGISLATION

Vous n'avez besoin d'aucune autorisation pour créer un bassin dans votre jardin. En revanche, si vous modifiez le cours d'un ruisseau ou d'une rivière traversant votre propriété, vous devez demander des autorisations (gestion des cours d'eau libre). En cas d'inondation, la responsabilité revient à celui qui a réalisé l'installation. Il est fortement conseillé de souscrire une assurance responsabilité civile.

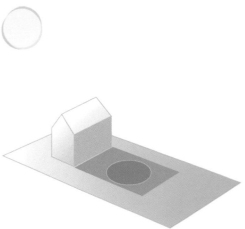

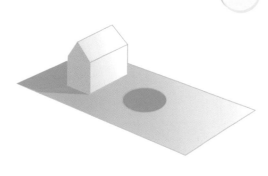

*Exposition nord, nord-est ou nord-ouest : placé ainsi,
le bassin est à l'ombre
une grande partie de la journée.
Il faut l'éloigner de la maison.*

*Exposition sud, sud-est ou sud-ouest :
le bassin bénéficie du soleil pratiquement toute la journée.
Il peut-être placé près de la maison.*

L'emplacement

Il est essentiel de trouver le bon endroit où installer votre bassin. Ce choix doit prendre en compte un certain nombre de facteurs.

La proximité de la maison

Placé au fond d'un grand jardin, le bassin devient un lieu très agréable de méditation, de retraite. Mais pouvoir le contempler de ses fenêtres ou de sa terrasse peut être aussi un grand plaisir. De plus, proche de votre maison, il sera plus facile d'y amener l'électricité si nécessaire.

L'ensoleillement

Le soleil est indispensable à l'équilibre biologique du bassin. Ses rayons doivent le réchauffer pendant au moins 6 heures par jour. Les poissons apprécient la chaleur, même s'ils ont parfois besoin d'ombre, qu'ils trouvent alors grâce aux feuilles des plantes flottantes. Une forte lumière stimule les plantes immergées, ce qui a pour effet d'augmenter l'oxygénation de l'eau. Mais si, en été, le soleil frappe tout le long de la journée, il est alors utile de planter quelques végétaux susceptibles d'apporter une légère ombre. Évitez les conifères dont les aiguilles qui tombent dans l'eau la rendent toxique pour les poissons.

À l'abri des vents

Évitez d'exposer votre bassin à des vents trop violents. Ils risqueraient de dessécher les jeunes feuilles et d'en arracher d'autres. Par ailleurs, les nénuphars ne les apprécient pas beaucoup non plus.

Loin des arbres

Mieux vaut éviter la proximité des arbres qui risquent de modifier l'ensoleillement. Attention aux racines qui peuvent endommager les membranes en PVC. Enfin, les feuilles mortes, en se décomposant, libèrent des gaz toxiques nocifs pour les poissons et les plantes (pins, cèdres, noyers…).

Les dimensions

Il est préférable de voir grand ! En effet, il est plus facile de maintenir un équilibre biologique dans une quantité d'eau importante. Si votre bassin est inférieur à 4 m², il risque d'exiger de vous des soins constants, voire même un système d'épuration. Paradoxalement, les grands bassins, au-delà de 5 m², sont plus faciles à entretenir.

Si vous désirez y installer des poissons et des plantes, il faut absolument connaître leurs besoins spécifiques. Les nénuphars, par exemple, ont besoin de 2 m² par pied pour se développer convenablement.

La profondeur

De sa profondeur dépend également le bon équilibre du bassin. Plus le volume d'eau est important et plus la température est constante. Les plantes, tout comme les poissons, n'aiment guère les brusques changements de température. En hiver, ces derniers peuvent se réfugier dans la partie profonde, épargnée par le gel. Un mètre de profondeur semble alors une bonne mesure, mais celle-ci doit varier selon les différents points du bassin pour créer un biotope favorable à toutes les espèces. De nombreuses plantes aquatiques se contentent de 40 cm d'eau. Les plantes de berge, quant à elles, s'accommodent d'une vingtaine de centimètres. Les poissons rouges ont besoin de 50 cm environ alors que les carpes kois doivent disposer de 1 m de profondeur pour évoluer.

La profondeur influe aussi sur l'esthétique : la couleur tout comme la transparence en dépendent.

LA SÉCURITÉ

L'eau attire irrésistiblement les jeunes enfants. S'ils fréquentent les abords du bassin, il est préférable que celui-ci soit entièrement visible de la maison. Mais il est beaucoup plus prudent de l'entourer d'une clôture, d'une hauteur de 60 cm au moins, sur laquelle vous ferez grimper du lierre, de la menthe ou d'autres plantes à votre goût. Vous pouvez aussi construire un petit muret en pierres de pays. Une zone de moins de 20 cm de profondeur sur le pourtour du bassin permet de s'extraire facilement de l'eau en cas de chute. Des berges en pente douce éviteront aux animaux domestiques et aux petites bêtes sauvages de se noyer.

LE BUDGET

Selon les techniques et les matériaux choisis, le coût de votre bassin sera plus ou moins élevé. Plutôt que d'en réduire la taille ou de renoncer à certains aménagements, ce que vous risquez de regretter par la suite, il est plus judicieux d'échelonner les travaux sur une période plus longue. Le terrassement et l'imperméabilisation peuvent être effectués dans un premier temps. La construction des allées, la décoration et les plantations peuvent attendre l'année suivante.

Les équipements techniques

L'alimentation en eau

L'eau dont vous allez remplir votre bassin peut provenir de différentes sources.

Dans les régions ensoleillées, il faut surveiller l'évaporation, susceptible de déstabiliser l'équilibre du bassin. Les précipitations n'en compensent qu'une partie.

L'eau de conduite étant fréquemment contrôlée, sa qualité ne pose en principe aucun problème. Pour éliminer le chlore, il suffit simplement d'utiliser un jet à dispersion lors du remplissage.

Un compensateur de niveau, système de robinet actionné par un flotteur, assurera le contrôle du débit.

L'eau de source est aussi une eau de qualité. Il est toutefois conseillé de contrôler sa composition chimique et de s'assurer, vérification qui peut s'avérer très utile, que son débit est suffisant en été.

En revanche l'eau de puits est plus difficile à employer. Il faut contrôler régulièrement sa composition chimique, car elle est facilement polluée. Par ailleurs, elle risque d'être trop froide.

Une pompe électrique est nécessaire pour acheminer l'eau jusqu'au bassin. Il est possible de programmer la quantité d'eau évaporée à remplacer.

L'eau des cours d'eau peut aussi être utilisée en créant une dérivation (soumise à autorisation). Il faut veiller aux pollutions accidentelles et au débit durant l'été.

L'eau de pluie qui s'écoule des toitures n'est pas très conseillée. Souvent polluée, elle a un débit incontrôlable. Les canalisations en cuivre ou en zinc doivent être isolées au moyen d'une résine.

La qualité de l'eau est essentielle à la bonne santé de votre bassin.

© L'Oasis - Auxerre 89

Testez le pH de l'eau avec deux méthodes fiables :
ci-dessus : bandes de papier test à tremper directement dans l'eau du bassin ; ci-dessous : une pastille à ajouter dans un peu d'eau prélevée dans un tube à essai.

Dans les deux cas, comparez le résultat en couleur avec la charte, toujours fournie avec le matériel de test.

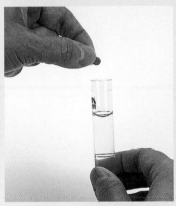

Installer un trop-plein

Le trop-plein est indispensable : il sert à régulariser le niveau d'eau lors de fortes pluies et à maintenir sa surface à un niveau constant lorsque l'alimentation provient d'une source, d'un cours d'eau ou d'une conduite. Pratiquez une ouverture d'une vingtaine de centimètres dans une des parois du bassin, au niveau de la surface de l'eau. Ou encore, placez un tuyau en PVC sur l'un des bords du bassin : celui-ci évacuera l'eau nécessaire. Installez son extrémité sur des pierres ou sur une zone aménagée en le dissimulant avec des plantes adéquates. L'étanchéité entre le tuyau et la membrane doit être parfaite.

Mise en place de la pompe dans le bassin.

Le choix de la pompe et son installation

Si l'on désire une fontaine, une cascade ou encore un simple jet, une pompe électrique s'avère indispensable. C'est elle qui permet de propulser l'eau et donc d'animer tous ces éléments décoratifs. Elle contribue aussi à maintenir l'oxygénation de l'eau et assure sa circulation dans les filtres.

Son choix dépend de son usage et de la taille du bassin. Il faut prendre en considération diverses caractéristiques : le débit, la puissance absorbée, la tension, le diamètre des tuyaux de raccordement, la hauteur du refoulement. Et choisir une pompe plus puissante que nécessaire. Il convient donc d'en discuter avec un spécialiste.

Les pompes les plus courantes sont les pompes centrifuges et celles à énergie solaire.

Les pompes centrifuges	Elles sont immergées et ne doivent jamais fonctionner à sec.
• Les pompes à moteur synchrone	D'une puissance qui n'excède pas 3 500 l/h, elles sont adaptées aux petits bassins.
• Les pompes à moteur asynchrone	Dotées d'un moteur électrique et d'une turbine, elles consomment peu d'électricité.
Les pompes à énergie solaire	Leur rendement est limité à 600 l/h environ. Compte tenu de leur coût élevé, leur installation ne se justifie que dans les régions très ensoleillées.

Sélectionner la meilleur pompe pour votre bassin

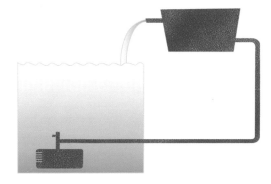

*Filtre externe :
quand on utilise un
filtre externe, choisir
une pompe de bonne
qualité, assez
puissante afin
de propulser l'eau
du bassin à travers
le filtre environ
toutes les 2 heures.*

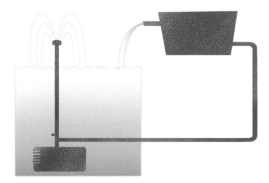

*Filtre et fontaine :
si on utilise le même
filtre pour produire
une fontaine à
l'intérieur du bassin,
la pompe doit être
plus importante.*

INSTALLER ET ENTRETENIR UNE POMPE

Posez la pompe au fond du bassin
sur un support (trépieds, briques…).
Pour la brancher, utilisez un câble
qui résiste à l'eau.
En hiver, débranchez la pompe et
rangez-la bien à l'abri, en
l'immergeant dans un seau d'eau.
Nettoyez le filtre environ une fois
par mois.
Si l'eau est très calcaire, détartrez-la
1 ou 2 fois par an.

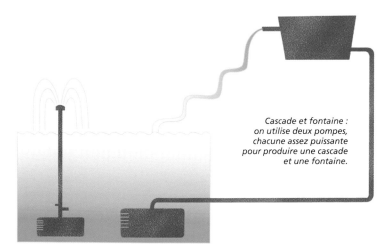

*Cascade et fontaine :
on utilise deux pompes,
chacune assez puissante
pour produire une cascade
et une fontaine.*

Filtre avec de la mousse : léger et facile à utiliser.

Filtre à brosse : durable, facile à nettoyer, parfait pour retenir des grandes particules.

Filtre tapis : facile à entretenir, il convient aussi bien pour une filtration biologique que mécanique.

Un bac à filtre.

Un bac à filtre à multicompartiment.

Filtre immergé.

Les systèmes de filtration

Pour obtenir une eau claire et transparente, pour garantir le bien-être des poissons et l'équilibre général du bassin, il peut s'avérer indispensable d'installer un filtre.

Les plantes ou la présence d'un jet ou d'une cascade ne suffisent pas toujours à assurer l'oxygénation de l'eau, surtout dans les régions très ensoleillées. Un système de filtration contrarie alors efficacement la prolifération des algues vertes.

Il existe différentes techniques d'épuration disponibles dans les Jardineries.

L'algicide : il convient aux toutes petites surfaces (moins de 1 m³). Versé directement dans l'eau, il ne nuit ni aux plantes ni aux poissons.

La filtration mécanique : une pompe à eau immergée, équipée d'un oxygénateur à air, assure l'épuration. L'eau passe au travers de charbon actif ou de mousse qui retiennent les impuretés.

La filtration biologique : elle convient aux grands bassins (plus de 5 m³). Le filtre biologique est construit en maçonnerie, à l'intérieur ou à l'extérieur du bassin. Il est formé de plusieurs compartiments remplis de bactéries qui ont pour effet de neutraliser les éléments toxiques. L'eau doit être mise en mouvement de façon permanente par une pompe immergée.

Ambiance féerique grâce à un éclairage sûr, réalisé par un spécialiste.

L'utilisation de l'électricité associée à l'eau peut s'avérer extrêmement dangereuse. Il faut impérativement respecter quelques règles de sécurité.
Les installations doivent être effectuées par un spécialiste, en particulier le raccordement au réseau électrique.
Utilisez de préférence des appareils portant le label NF et assurez-vous que tous les équipements sont prévus pour usage extérieur.
Employez des câbles suffisamment longs pour éviter les rallonges.
Les fils doivent être enterrés et protégés par une gaine qui résiste à l'humidité.
Avant de sortir les appareils de l'eau, débranchez-les impérativement.
Confiez toutes les réparations à un spécialiste.
Les équipements doivent être entretenus régulièrement.

L'éclairage

Dès la tombée de la nuit, un bel éclairage transforme l'atmosphère et magnifie plantes et décor. Mais l'éclairage, tout comme les divers accessoires, pompes, épuration… impose une installation électrique rigoureuse. Il est conseillé de faire appel à un professionnel, car un milieu humide peut facilement devenir un milieu dangereux.

Les prises et les boîtes de raccordement doivent être absolument étanches et les câbles armés.

Les lampes à basse tension, 12 ou 24 V, plutôt conçues pour de petits bassins, sont fiables et sans danger ; l'alimentation électrique devra alors comporter un transformateur.

Les lampes submersibles	Flottantes ou immergées, elles produisent un effet spectaculaire par leur lumière fantomatique. Les spots immergés doivent être pourvus de lampes de 100 à 150 W et être parfaitement étanches. Maintenez le câble des lampes submersibles sous l'eau au moyen d'une pierre. Enlevez régulièrement les débris qui s'accrochent à elles. Mais, avant toute manipulation, n'oubliez pas de les débrancher.
Les lampes de surface	Vous pouvez éclairer les abords du bassin par des projecteurs munis de lampes à incandescence ou de lampes avec réflecteur incorporé que vous dissimulerez dans les plantations. Des spots montés sur dague peuvent être piqués dans la pelouse. Quelques lampadaires assureront l'éclairage général.

L'installation du bassin

Tracer un plan

Une fois déterminé le style de votre bassin, il est fort utile d'en tracer le plan. Celui-ci permet de visualiser l'espace, de faciliter la mise en œuvre et d'éviter d'éventuelles erreurs.

Sur une feuille de papier millimétré, dessinez le plan général de votre jardin. Faites-y figurer tous les éléments, maison, allées, murets, pergola, arbres, etc. Relevez-en les dimensions exactes, ainsi que les distances qui les séparent et reportez précisément toutes ces mesures sur le plan.

Reproduisez ce plan en plusieurs exemplaires afin de pouvoir effectuer différents essais.

Esquissez la forme du bassin. Dessinez également les éléments décoratifs tels que pont, rocher, cascade, etc. Vérifiez que l'emplacement que vous avez choisi n'est pas traversé par des canalisations ou des installations électriques.

Sur le terrain, tracez au sol l'emplacement du bassin et celui des allées, au moyen d'une corde ou d'un tuyau d'arrosage. Cela doit vous permettre, durant quelques jours, d'apprécier sa situation à différentes heures, d'évaluer son exposition.

Une fois assuré de vos choix, le plan de mise en œuvre est la dernière étape. Précieux outil pour la réalisation des travaux, il doit comporter l'emplacement et les dimensions précises du bassin, ainsi que ceux de tous les éléments annexes.

Il peut aussi indiquer la place de l'équipement technique, de l'installation électrique, de l'éclairage, de la pompe, du filtre, etc.

Enfin, vous pouvez signaler sommairement la répartition des plantations avant de tracer plus tard le plan détaillé de vos désirs en matière de végétaux.

Même de taille réduite, un bassin peut être très décoratif. Il suffit de bien agencer les divers éléments : plantes, rocaille, dallage...

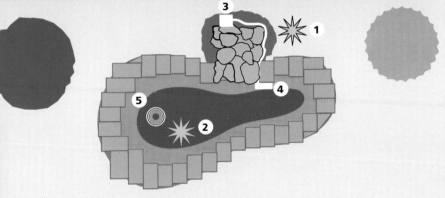

1 Éclairage extérieur
2 Éclairage submersible
3 Filtre
4 Pompe
5 Jet d'eau

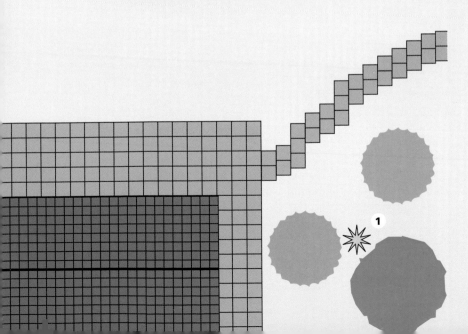

Une bâche en caoutchouc butylique résiste à toutes les températures, élevées ou basses.

Les travaux
Le terrassement

En deçà de 15 m², il vous est possible, moyennant quelques efforts, de creuser vous-même votre bassin.

Au-delà, il est préférable d'utiliser une pelleteuse ou encore de faire appel à un professionnel.

Les outils

Une bêche et une pelle à lame tranchante vous aideront à entamer la couche superficielle. À l'aide d'une pelle plus large, vous enlèverez la terre meuble. Les grosses pierres peuvent être extraites au moyen d'une pioche.

Un niveau à bulle vous permettra de vérifier que le bassin est bien d'aplomb.

Dans un premier temps, une brouette fera l'affaire pour évacuer la terre.

Ne vous en débarrassez pas tout de suite, car vous pouvez l'utiliser pour créer quelques petits massifs dans le jardin.

À cet effet, séparez la terre végétale de celle qui se trouve en dessous et qui est peu fertile : constituez le monticule avec cette dernière et recouvrez de 30 cm au moins de bonne terre.

Si vous devez tout évacuer, il vous faudra prévoir un moyen de transport.

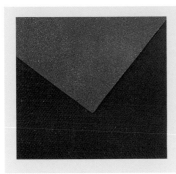

1. Les membranes souples

Les revêtements souples, appelés membrane, liner ou encore film, ont bouleversé la construction des jardins d'eau. Ils permettent d'obtenir un bassin à la forme originale en peu de temps, l'exécution en étant simplifiée et le coût bien moindre.

Assurez-vous que la membrane est traitée pour résister aux rayons ultra-violets et qu'elle est accompagnée d'une garantie de 10 ans.

Pour être suffisamment résistante, elle doit mesurer au moins 1 mm d'épaisseur.

Conditionnée en rouleaux ou en rectangles prédécoupés, la membrane existe dans différents matériaux de synthèse.

Dans tous les cas, il est possible de commander une membrane sur mesure. Elle vous sera alors livrée sur palette.

Polychlorure de vinyle (PVC)

Facile à employer et fiable, le PVC résiste très bien au gel et est imputrescible. Il épouse parfaitement la forme que l'on désire lui donner et il s'assemble aisément par collage (colle pour PVC souple) ou soudure (pistolet à air chaud). Il permet donc grâce à des raccords possibles, de construire des bassins de grandes dimensions. Il existe en différentes épaisseurs. C'est la technique la plus utilisée.

Caoutchouc butylique

Alors que le PVC a une durée de vie d'environ 15 ans, le caoutchouc butylique résiste, quant à lui, une cinquantaine d'années, mais son coût est plus élevé.

Il ne craint ni le soleil ni le gel et est particulièrement malléable. Le caoutchouc butylique au même titre que le PVC est d'une mise en œuvre rapide et s'adapte à tous les bassins. Il est très résistant et se répare facilement.

Polyéthylène

Ce matériau fin et assez fragile est plus adapté aux sols argileux ou sablonneux. Il est peu onéreux, mais sa durée de vie est assez courte.

Le terrassement (pour bassin à plusieurs niveaux)

1. À l'aide d'une corde ou d'un tuyau d'arrosage, tracez sur le sol le contour extérieur du bassin, en vous servant de votre plan.

2. Creusez une tranchée extérieure de 10 cm de profondeur.

3. Sur un des côtés, creusez une tranchée perpendiculaire d'environ 30 cm de large pour l'alimentation et l'évacuation de l'eau et pour les câbles électriques.

4. Comblez la tranchée circulaire avec un mélange sec de 1/4 de ciment et de 3/4 de sable. Arrosez d'un peu d'eau. Laissez sécher.

5. Creusez le premier niveau jusqu'à une profondeur de 10 cm en découpant le gazon par plaques.

6. À 20 cm du bord, creusez de 30 cm environ le second niveau.

7. Délimitez le troisième niveau et creusez de 40 cm.

8. Sur le fond et les parois, éliminez tout ce qui risque de percer la membrane, pierres tranchantes, racines, etc.

L'installation de la bâche

1. Posez le feutre de protection (sous-couche de polyester) en faisant se chevaucher les bandes.

2. Dépliez la membrane à partir du centre.

3. Appliquez-la bien sur le sol en insistant à chaque décrochement.

4. Ajoutez progressivement l'eau au jet, jusqu'à 5 cm du bord (premier niveau).

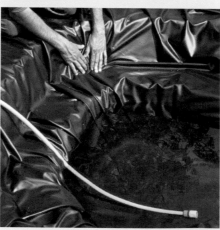

5. Lissez les plis s'il y en a. Remplissez jusqu'à la surface.

6. Gardez 25 cm de membrane tout autour, repliez-la et recouvrez de différents matériaux, selon votre goût.

L'aménagement des berges

1. *Préparez le mortier suivant les conseils du fabricant. Étalez-le sur la bâche.*

2. *Placez vos pierres entières sur la bâche par cinq ou six à la fois.*

3. *À l'aide d'une planche, d'un niveau à bulle et d'une massette, ajustez l'horizontalité des pierres.*

4. *À l'aide d'un burin et d'une massette, découpez et ajustez les pierres d'angle.*

5. *Mettez en place définitivement sur du mortier.*

6. *Préparez un joint spécifique. Étalez à la truelle entre les pierres et lissez.*

LE MEILLEUR CHOIX

Les pierres. Le schiste rouge, vert ou noir, le grès, la lave, le basalte. Évitez les roches calcaires. L'eau de pluie encourage les substances nocives qui augmentent le pH de l'eau.

Les pavés et les dalles. Le granite, le porphyre, le béton. Évitez les dalles trop lisses. Elles deviennent très glissantes lorsqu'elles sont mouillées.

Le bois. Le pin traité, le teck et autres bois exotiques. Évitez les bois de mauvaise qualité qui pourrissent très vite.

2. Les bassins préformés

Les bassins préformés présentent toutes sortes d'avantages. Ils existent dans une assez grande variété de formes et de tailles, ils sont solides, étanches, simples et rapides à mettre en place et leur entretien exige peu d'effort. En revanche, leur superficie est tout de même assez limitée, leur aspect artificiel, si l'on n'y prend garde, et leurs parois un peu abruptes sont plus difficiles à dissimuler.

On trouve également des éléments préformés permettant de créer ruisseaux et cascades.

L'ENTRETIEN

Il est rare qu'une fuite se produise dans un bassin préformé. Mais un choc violent peut toujours endommager la coque en PVC. Vous trouverez alors des kits de réparation chez les revendeurs.

L'ARGILE

Pour son faible coût et son caractère très écologique, l'argile peut être un matériau parfois intéressant à utiliser. Toutefois, il reste très fragile et manque d'étanchéité. Il n'est donc pas très recommandé pour la construction d'un bassin.
En revanche, l'argile en poudre (bentonite) peut servir à étanchéifier, sans le vider, un bassin dont la membrane est déchirée ou le béton fissuré. Il suffit de jeter dans l'eau une moyenne de 5 kg d'argile par mètre carré.

Le choix

Différents matériaux sont utilisés pour fabriquer les bassins préformés.
En polyester armé de fibres de verre, ils sont quasiment indestructibles. Ils résistent aux ultraviolets et au gel et existent dans différentes couleurs.
En PVC rigide, ils sont assez solides et résistent aux ultraviolets et au gel. Moins onéreux que les précédents, ils ont des parois un peu plus fines et donc plus fragiles.
Vous trouverez des bassins dont la capacité varie de 100 à 5 000 l et parfois plus. Dans la mesure du possible, choisissez la taille la plus grande.

Si vous désirez mettre des poissons dans votre bassin, sa profondeur au centre devra atteindre au moins 60 cm.
Les plates-formes moulées, destinées aux plantations, doivent être suffisamment larges pour recevoir les paniers de plantation. Vous pouvez aussi opter pour un fond plat et, ainsi, moduler à votre choix les niveaux au moyen de briques.
Mieux vaut choisir une teinte foncée plutôt qu'un bleu très artificiel.
Assurez-vous que le bassin est bien doté d'un trop-plein.

Le terrassement

1. Tracez la base du bassin avec du sable et creusez de la profondeur totale du bassin.Posez le bassin dans le trou. Il se bloque au premier niveau.

2. Tracez le tour du bassin avec du sable. Retirez le bassin préformé et creusez d'une profondeur équivalant à celle du premier niveau.

3. Couvrez les étages et le fond du trou avec une couche de sable de 5 à 6 cm. Vérifiez qu'il n'y a ni pierres ni cailloux qui endommageraient le bassin.

4. Mettez le bassin en place avec précaution et appuyez un peu pour tasser le sable et obtenir une bonne stabilité.

5. À l'aide d'une planche et d'un niveau à bulle, vérifiez l'horizontalité du bassin. Rectifiez si besoin en ajoutant du sable.

6. Calez la stabilité du bassin en glissant de la terre sous le rebord sur tout le tour. Tassez bien.

7. Creusez autour du bassin une tranchée de 10 cm de profondeur et de la largeur des berges que vous souhaitez.

8. Préparez du ciment suivant les conseils du fabricant. Étalez-le sur la berge et placez vos dalles de pierre. Laissez sécher.

9. Préparez un joint spécifique en suivant les conseils du fabricant. Étalez à la truelle entre les pierres et lissez grossièrement.

3. Les résines de synthèse

Particulièrement solides et inaltérables, résistant au gel, aux ultraviolets et aux objets pointus, les résines de synthèse sont coulées directement sur la surface du bassin. Faciles à modeler, elles permettent toutes sortes de formes sans limitation de surface. Mais leur mise en place exige l'intervention de plusieurs personnes et, lors de la pose, des lunettes de protection sont fortement recommandées à cause des vapeurs toxiques.

Moins coûteuse que la résine époxyde, la résine de polyester se présente sous la forme d'une pâte relativement liquide qui durcit par l'addition d'un catalyseur.

Le terrassement

Après avoir dessiné la forme du bassin sur le sol, enlevez le gazon et une première couche de terre.
Vérifiez l'horizontalité au moyen d'un niveau à bulle.
Creusez les différents paliers en ajoutant environ de 5 à 8 cm au niveau le plus profond.
Vérifiez de nouveau l'horizontalité au moyen d'un niveau à bulle.

Pratiquez la tranchée d'évacuation du trop-plein.
Ensuite damez la terre sur toute la surface.
Étalez une couche de 5 à 8 cm de mortier, composé d'une part de ciment pour neuf parts de sable fin. Inutile d'ajouter de l'eau.
Laissez sécher ce soubassement durant 72 heures.

La plastification

Il est indispensable de bien choisir le moment de cette opération car la température ambiante, lors de l'installation, ne doit pas être inférieure à 15 °C.
Posez des bandes de papier kraft sur toute la surface en les faisant se chevaucher et en les fixant entre elles avec du ruban adhésif.
Étalez une couche de résine, avec son catalyseur, posez le mat de verre en l'imprégnant de polyester jusqu'à ce qu'il devienne transparent. À l'aide d'un rouleau, éliminez sans attendre les bulles d'air.

Posez le deuxième mat de verre et recommencez l'opération. Éliminez les bulles d'air.
À l'aide d'une large brosse, appliquez une couche de finition pour terminer le bassin.
Laissez durcir la résine.
Remplissez le bassin d'eau pour tester son étanchéité.
Videz l'eau et découpez le bord supérieur à l'aide d'une meuleuse à disque.
Nettoyez le bassin avant le remplissage définitif.

LE MATÉRIEL

Pour le soubassement. Ciment, sable fin.
Pour le revêtement. Papier kraft, ruban adhésif, mat de verre, résine de polyester, couche de finition, brosses larges et rouleaux.

4. Le béton armé
Le béton coffré

Les planches de bois permettent de créer un bassin au dessin régulier, aux lignes droites aussi bien que courbes.

Creusez le trou en fonction de votre plan. Prévoyez 15 cm supplémentaires représentant l'épaisseur du béton.

Creusez la tranchée d'évacuation du trop-plein et installez le tuyau de vidange.

Damez toute la surface et étalez un film de polyane pour isoler le béton de la terre.

Installez le treillis métallique presque jusqu'aux bordures du bassin.

Étalez une couche de béton hydrofuge d'une dizaine de centimètres d'épaisseur. Veillez à ce qu'il enrobe bien toute la structure métallique.

Laissez prendre durant 48 heures en humidifiant régulièrement.

Construisez le coffrage des parois. Les planches doivent être légèrement inclinées vers l'extérieur, solidement renforcées et calées par des madriers.

Coulez les parois du bassin avec du béton à la consistance plutôt molle. Nivelez le bord supérieur des parois à la hauteur désirée. Retirez le coffrage après une bonne semaine puis laissez sécher le béton pendant encore 3 semaines au minimum en prenant la précaution de l'humidifier régulièrement.

Appliquez une couche d'enduit de finition sur toute la surface. Laissez sécher pendant une semaine en humidifiant régulièrement.

Le béton non coffré

Cette technique convient aux formes plus naturelles, aux dessins irréguliers.

Creusez le trou en fonction de votre plan, ainsi que les plates-formes destinées aux plantations. Prévoyez 10 cm supplémentaires représentant l'épaisseur du béton.

Creusez la tranchée d'évacuation du trop-plein et installez le tuyau de vidange.

Vérifiez l'horizontalité et damez toute la surface.

Pour délimiter le bassin, clouez, en suivant sa forme, des bandes de contreplaqué d'environ 10 cm de large sur des piquets enfoncés dans le sol.

Recouvrez le fond d'un film plastique ou de feutre de jardin.

Installez le treillis métallique.

Étalez une couche de béton hydrofuge d'une dizaine de centimètres d'épaisseur. Veillez à ce qu'il enrobe bien toute la structure métallique.

Lissez bien le bord supérieur en prenant appui sur le contreplaqué.

Laissez sécher le béton pendant 3 semaines en l'humidifiant régulièrement.

Appliquez une couche d'enduit de finition sur toute la surface. Laissez sécher pendant une semaine en humidifiant régulièrement.

Rincez le bassin et procédez à la mise en eau.

La décoration

Fontaines, pierres jaillissantes, jets d'eau, cascades sont autant de jeux d'eau délicieux, véritables sculptures faciles à installer et qui ajouteront un charme infini à votre jardin d'eau.

Fontaines

Les petits animaux décorent avec grâce et malice les fontaines.

De la plus simple à la plus sophistiquée, de la plus petite à la plus grande, il existe une infinité de fontaines qu'il est recommandé de choisir en fonction de la taille du bassin et de son style.

Il s'agit néanmoins de respecter quelques règles.

Veillez à ce que l'eau ne retombe pas au-delà des bords du bassin, il se viderait systématiquement.

Choisissez une fontaine dotée d'un dispositif permettant de régler la hauteur du jet.

Attention aux fontaines trop puissantes : l'eau qui retombe avec force peut attaquer les plantes aquatiques et contrarier certains animaux. Dans ce cas-là, il est donc préférable de choisir une petite fontaine ou alors de l'installer dans un bassin séparé. Les fontaines ont besoin d'une pompe qui propulse l'eau. Une petite pompe submersible suffit pour les jets qui n'excèdent pas 1,20 m. Au-delà de 2 m, il est nécessaire d'installer une pompe extérieure. Un système de programmation peut s'avérer très utile.

© L'Oasis - Auxerre 89

© L'Oasis - Auxerre 89

Quoi de plus
enchanteur que l'eau
qui jaillit ou coule le
long de rochers,
chante ou murmure
par une belle journée
d'été ?
L'eau en mouvement,
si elle l'est
modérément,
augmente la teneur
en oxygène : plantes
et poissons ne s'en
trouveront que
mieux.

Vous réaliserez cette cascade sans difficulté en suivant les différentes étapes de construction.

Cascades

L'installation d'une cascade est délicate, mais rien n'égale le charme de l'eau qui s'écoule au milieu de pierres et de plantes aquatiques.

Divers matériaux conviennent à la fabrication d'une cascade : ils dépendent généralement de ceux utilisés pour le bassin.

Mais, pour une petite cascade, quatre ou cinq degrés en pierre suffisent. Après avoir construit un talus en terre qui dessine la pente (pas trop escarpée), formez les marches à l'aide d'une truelle. Recouvrez d'une couche d'une dizaine de centimètres de gravier et posez les moellons en pierre. Le dernier doit surplomber le bassin.

À l'aide d'éléments préformés

Creusez et mettez en place les divers éléments préformés. Prévoyez une dizaine de centimètres supplémentaires tout autour.

Installez la pompe et le tuyau de remontée.

Procédez à un essai de mise en eau. Disposez pierres et galets pour modifier si nécessaire la trajectoire de l'eau.

Comblez l'espace entre le sol et les différents éléments par de la terre ou du sable.

Coulez du mortier pour sceller les pierres et les galets.

Installez les plantations sur les berges. S'il le faut, ajoutez des galets pour bien dissimuler le bord des éléments préformés.

À l'aide d'une membrane en PVC

1. Avec la terre récupérée du bassin, aménagez une pente qui n'excède pas 60 cm de hauteur.

2. Installez le feutre en marquant bien les niveaux.

3. Mettez la membrane en place. Soudez les morceaux entre eux.

4. Enterrez le tuyau de remontée sous la bâche et calez avec des pierres.

5. Coulez une couche de mortier. Installez les pierres et les galets. Laissez sécher.

6. Dans le bassin, installez et branchez la pompe sur le tuyau de remontée.

Ponts, passerelles

Ponts et passerelles sont pleins de charme : c'est un plaisir de s'y arrêter pour contempler l'eau. Mais ils ne sont pas si faciles à construire. En bois, en briques, en pierre, en acier ou en béton, ils exigent d'être faits sur mesure et avec une grande précision. Ils doivent reposer sur un support robuste et être solidement amarrés. Vous pouvez les construire vous-même ou les acheter prêts à poser.

Le style

Entre l'épure de la pierre taillée et polie et le caractère rustique du bois brut, quantité de styles différents peuvent convenir aux ponts et aux passerelles. Mais ce choix n'est pas négligeable : il conférera un genre à votre jardin d'eau et doit lui-même s'adapter au style général.

La réalisation peut être très simple, planches de bois, pierres naturelles… ou plus architecturée, granite taillé, béton dessiné…
Pour être confortable, la largeur du tablier ne doit pas être inférieure à 80 cm et la hauteur des parapets doit se situer aux environs de 1 m.

La solidité

Matériaux et fixations doivent être d'une grande solidité, et la structure, extrêmement résistante, s'ancrer dans des fondations en béton. Un pont doit pouvoir supporter un poids qui excède celui de tous les individus susceptibles de se tenir en même temps sur son tablier.

*Deux styles opposés,
tout aussi séduisants.
En haut, un bassin
plutôt zen et épuré,
en bas, une
sauvagerie
habilement
domestiquée.*

Les ponts en bois

Il est préférable de choisir un bois dur, plus difficile à travailler que le pin ou le sapin, mais plus durable. Ainsi, le hêtre, l'orme, le chêne ou des essences exotiques telles que l'okoumé résisteront mieux au temps. Vous devez traiter le bois contre l'humidité, les moisissures et les insectes puis le vernir ou le peindre afin de le protéger.

Les ponts maçonnés

Les ponts maçonnés n'exigent pratiquement aucun entretien et ont l'avantage de durer longtemps. Il faut simplement veiller à leur forme et à leurs dimensions, de façon à éviter un résultat trop « pesant ».

Matériaux et traitements offrent l'embarras du choix. Des pierres taillées et scellées peuvent être posées sur des galets stabilisés par du béton. Du béton renforcé par une structure en acier peut constituer, selon son dessin, un décor au style très contemporain. Ou encore, vous pouvez sceller des briques au mortier sur un soubassement en béton armé.

Des garde-corps en fer forgé s'harmonisent aussi parfaitement avec un tablier de bois ou de béton.

Gués

Le gué permet de se rendre au milieu du bassin pour y admirer la flore ou la faune de plus près. Il facilite aussi les travaux d'entretien et constitue un décor non négligeable.

MATÉRIAUX

Supports immergés. Briques, parpaings, béton hydrofuge, tubes en Fibrociment.
Éléments émergés. Dalles de béton gravillonné, dalles de béton coffré, blocs de granite, rochers plats, dalles de pierre reconstituée, Fibrociment.

Le style

Pour préserver une certaine cohérence, il est préférable d'utiliser le même matériau que celui des allées du jardin.

La pierre taillée ou reconstituée, le béton coffré aux formes géométriques pures donnent un style contemporain, alors que des rochers naturels (plats pour le confort de la marche) confèrent un aspect plus rustique.

Réalisation

Les pierres peuvent être de formats différents, mais aucune ne doit mesurer moins de 40 cm de large, et la distance qui les sépare ne doit pas excéder 60 cm.

Les dalles doivent dépasser de 3 cm au moins la surface de l'eau.

Par sécurité, il est préférable d'installer un gué dans une eau peu profonde. Il est donc utile d'en prévoir l'emplacement lors de la conception du bassin.

Le soubassement doit être suffisamment stable pour soutenir le support et l'élément émergé.

Vous devez sceller les dalles au support au moyen d'un mortier auquel vous ajouterez un hydrofuge de masse. Appliquez ensuite un gel de silicone.

Les plantes

Avant la plantation
- Faire un plan
- Quand planter, où acheter ?
- Multiplication et division des plantes

Comment planter
- Les paniers

Les différentes plantes
- Plantes de berge
- Plantes flottantes
- Plantes en eau profonde
- Plantes oxygénantes
- Les nénuphars
- Les lotus

Avant la plantation

Faire un plan

Pour éviter de planter de façon trop désordonnée, bien que le désordre soit parfois fort séduisant, il peut être utile de dessiner un plan. Sur

Les plantes sont essentielles dans un jardin d'eau. Outre leur fonction décorative, elles assurent l'équilibre du milieu. Pour satisfaire l'œil, on n'a que l'embarras du choix : il existe une infinité de formes, de tailles et de couleurs.

une feuille représentant tous les éléments du jardin d'eau, forme du bassin, rochers, ponts, cascades, allées, etc., il suffit de répartir les plantes sélectionnées. Plusieurs copies permettent d'esquisser différents projets. Mais cette sélection doit se faire à partir de quelques critères assez rigoureux. Dans un premier temps, il faut déterminer le style : sauvage, romantique, rocailleux… Le choix des plantes sera en grande partie dicté par l'ambiance que vous désirez obtenir. Il est alors nécessaire pour chaque plante de noter ses caractéristiques, formes, couleurs, dimensions, et ses exigences, nature et profondeur du sol, lumière, etc. Si l'on désire conserver un beau jardin en hiver, il faut qu'au moins un tiers des plantes aient un feuillage persistant. Par ailleurs, il ne faut pas oublier que nombre de plantes de bassin, et en particulier les nymphéas, ont besoin de lumière pour se développer.

Dans un premier temps, il faut disposer les arbres et les plantes de grande dimension. Ils formeront la structure du jardin. Viennent ensuite les plantes de taille moyenne que l'on peut organiser selon son goût, en vertu de contrastes de couleurs et de formes ou en les installant de façon harmonieuse. Des plantes plus petites peuvent compléter le tableau, sous la forme de quelques blocs composés de plusieurs sujets d'une même espèce. Il ne faut pas oublier de respecter les distances nécessaires à chaque espèce.

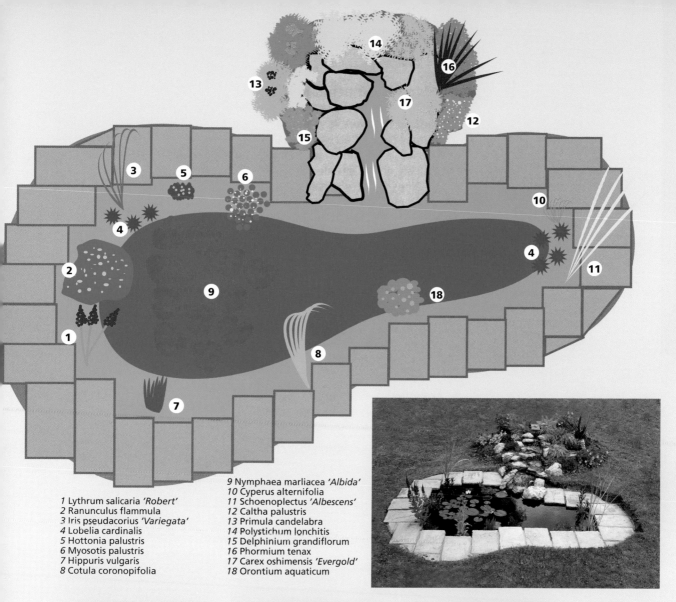

1 Lythrum salicaria *'Robert'*
2 Ranunculus flammula
3 Iris pseudacorius *'Variegata'*
4 Lobelia cardinalis
5 Hottonia palustris
6 Myosotis palustris
7 Hippuris vulgaris
8 Cotula coronopifolia

9 Nymphaea marliacea *'Albida'*
10 Cyperus alternifolia
11 Schoenoplectus *'Albescens'*
12 Caltha palustris
13 Primula candelabra
14 Polystichum lonchitis
15 Delphinium grandiflorum
16 Phormium tenax
17 Carex oshimensis *'Evergold'*
18 Orontium aquaticum

Cyperus et Lobelia *en containers souples.*

Nénuphars en panier posés sur un socle, juste immergés.

Delphinium grandiflorum, *on recouvre les racines de graviers.*

Des iris et des joncs fleuris sur les berges, des jacinthes et des nénuphars à la surface et des renoncules pour oxygéner l'eau.

Quand planter, où acheter ?

Il est préférable d'installer les plantes aquatiques vers le milieu du printemps. Mais il est possible de poursuivre la plantation jusqu'à la fin de l'été. Il faut ensuite attendre 6 semaines avant d'introduire les poissons et autres animaux : à ce moment-là, les plantes auront pris racine et l'eau se sera clarifiée.

Différents lieux, tels que les Jardineries et les grandes surfaces, proposent des plantes à la vente. Mais ce sont les pépiniéristes spécialisées qui offrent le plus grand nombre d'espèces. Pour ne pas faire de choix inadaptés, il est utile de connaître les noms botaniques, d'ailleurs en usage dans le monde entier. Le nom complet est formé du genre et de l'espèce, ainsi *Nuphar lutea*.

Plusieurs catégories de plantes se plaisent particulièrement au contact de l'eau. On peut les classer en cinq grandes catégories :

– les plantes semi-aquatiques, adaptées à une eau peu profonde. Ce sont celles qui poussent sur les berges. Elles ont une fonction décorative, mais assurent aussi l'ombre nécessaire ;

– les plantes flottantes, qui dérivent à la surface. Elles apportent de l'ombre au bassin. Fragiles, elles ne résistent pas aux températures inférieures à 0 °C ;

– les plantes d'eau profonde sont plantées au fond du bassin. Certaines demeurent en dessous de l'eau, d'autres produisent des fleurs et des feuilles flottantes ;

– les plantes oxygénantes, immergées, dont la végétation reste sous la surface de l'eau. Très précieuses, elles participent à l'équilibre du bassin en apportant de l'oxygène et en limitant la prolifération des algues ;

– les vraies plantes aquatiques tels les magnifiques nénuphars. Elles fournissent de l'ombre aux poissons et empêchent elles aussi la prolifération des algues.

Moins de 5 cm d'eau :	Iris du Japon *(Iris ensata)*, Iris de Sibérie *(Iris sibirica)*, Épilobe *(Epilobium hirsutum)*
Jusqu'à 20 cm d'eau :	Salicaire commune *(Lythrum salicaria)*, Nénuphars nains *(Nymphaea pygmaea* 'Helvola'), Jonc fleuri *(Butomus umbellatus)*, Plantain d'eau *(Alisma plantago)*, Menthe aquatique *(Mentha aquatica)*, Iris des marais *(Iris pseudacorus)*, Acore *(Acorus calamus)*, Sagittaire *(Sagittaria sagittifolia)* Trèfle d'eau *(Menyanthes trifoliata)*, Oseille d'eau *(Rumex aquaticus)*
De 20 à 40 cm :	Potamot *(Potamogeton)*, Aponogéton *(Aponogeton distachyus)*, Arum d'eau *(Caltha palustris)*, Massette *(Typha sp.)*, Hottonia palustris, Myriophylle *(Myriophyllum spicatum)*, Laitue d'eau *(Pistia stratiotes)*
De 30 à 45 cm :	Nénuphars ('Gloriosa', 'James Brydon', 'Chromatella', 'Sunrise')
De 30 à 90 cm :	Élodées *(Elodea)*, Renoncule aquatique *(Renonculus aquaticus)*, Nénuphar ('Attraction', 'Escarboucle', 'Gladstoniana')
Jusqu'à 1 m :	Grenouillette *(Ranunculus aquatilis)*, Grand Nymphéa *(Nymphaea sp.)*, Nénuphar jaune *(Nuphar lutea)*

Multiplication et division des plantes

Le bouturage

1. Prélevez des boutures à l'aide d'un couteau tranchant, juste au-dessus d'une paire de feuilles.

2. Plantez les boutures dans la terre. Arrosez, avant de couvrir avec un morceau de plastique transparent. Lorsque les racines sont développées, rempotez.

La division des touffes

1. Sortez les plantes du bassin, puis de leur pot.

2. Éliminez la terre et procédez à la division, à la main si la touffe n'est pas trop grosse ou à l'aide d'une bêche si elle est plus importante.

3. Dans un pot, mettez une couche de gravier puis du terreau aquatique. Installez la motte, remettez de la terre avant une autre couche de gravier.

4. Placez les pots dans un bac rempli d'eau et mettez à l'abri du gel durant tout l'hiver. N'oubliez pas d'arroser fréquemment. Au mois de juin, disposez-les de nouveau dans le bassin.

MULTIPLICATION ET DIVISION DES PLANTES
Grâce à la division ou au bouturage, la plupart des plantes aquatiques peuvent retrouver une nouvelle vigueur.
La multiplication se fait de préférence à la fin du printemps, tous les 4 ans environ.

LA DIVISION DES TOUFFES.
Elle concerne les plantes semi-aquatiques. Il faut procéder à la division lorsqu'elles deviennent trop envahissantes.

Comment planter

On peut tout aussi bien cultiver les plantes aquatiques à feuilles flottantes ou émergeantes dans un conteneur que les planter directement dans la terre du bassin. Celle-ci doit avoir de 20 à 30 cm d'épaisseur. Pour convenir à ce type de plante, la terre doit être riche et argileuse. Mais il faut se garder d'ajouter du fumier qui aurait pour effet de polluer l'eau. Pour l'enrichir, mieux vaut utiliser des terreaux spécifiques.

Mais il est plus difficile de contenir dans la terre les espèces envahissantes comme les nénuphars. En effet, la profondeur de plantation varie de 10 cm environ, pour les plantes de berge, à plus de 1 m pour les nénuphars.

Le conteneur est une solution qui présente différents avantages. Il permet de contrôler la prolifération des racines et de modifier l'emplacement des plantes. En hiver, il suffit de descendre plus en profondeur les espèce fragiles pour les soustraire au gel ou encore de les sortir pour les mettre à l'abri. Ce doit être le cas des plantes exotiques qu'il faut installer dans un bassin en serre chauffée. En été, on placera les plantes juste sous la surface de l'eau. Le conteneur rend aussi leur accès, et par conséquent leur entretien, plus facile : il suffit de les repêcher avec une corde, un crochet ou même à la main. Enfin, le conteneur protège les racines : en effet, en fouissant le sol, les poissons troublent l'eau, ce qui peut gêner leur développement.

On peut aussi bien déposer les conteneurs au fond du bassin que les poser sur des briques, ce qui permet alors d'obtenir la hauteur désirée.

Les paniers de plantation grillagés, de formes et de tailles diverses, peuvent être tapissés de feutre ou de jute. Il faut les remplir de 20 à 40 cm de terre végétale contenant de 20 à 30 % d'argile, sans aucun ajout d'engrais ni de fumier. On enfonce ensuite la plante jusqu'au collet et on recouvre d'une couche de 2 cm de gravillon pour éviter que la terre ne se disperse.

Il existe aussi des sacs de plantation en coco. Ils ont un aspect plus naturel et sont biodégradables.

Les plantes flottantes, quant à elles, demandent très peu de soins. Il suffit de les poser sur l'eau et de limiter de temps à autre leur prolifération.

Les berges humides peuvent accueillir de nombreuses plantes, qui viennent compléter le décor et embellir d'autant votre bassin. Il est préférable de les disposer en massifs irréguliers, ainsi le bassin sera mieux intégré au reste du jardin. Des fleurs aux couleurs vives attireront les insectes. Pour dissimuler efficacement le liner, on peut poser un certain nombre de galets ou de rondins de bois. Les plantations doivent se faire dans une terre ameublie, désherbée et enrichie par un fumier décomposé. Bien qu'elles aient besoin d'un sol humide, il faut éviter aux plantes des berges d'avoir les pieds dans l'eau en permanence. Prévoyez des floraisons de mai à septembre.

LES PANIERS

Il en existe de différentes tailles et de différentes formes. Ils facilitent la plantation et l'entretien. Il est aussi beaucoup plus facile de récupérer les plantes pour procéder à leur division. Pour retenir la terre, il faut doubler les paniers d'un film ou d'une toile, de jute par exemple. Remplissez les paniers de terreau et finissez par une couche de gravier.

Planter pas à pas

1. *Dans un panier à grille fine, mettez une couche de terreau aquatique. Comblez les côtés en réservant un espace central.*

2. *Retirez la motte délicatement de son pot et installez-la au centre du panier.*

3. *Remettez de la terre et, à l'aide d'une petite pelle, tassez la terre suffisamment pour que la plante soit bien dressée.*

4. *Arrosez abondamment. L'eau va faire chasser l'air qui pourrait être dans la terre.*

5. *Disposez une couche de gravier sur toute la surface. Outre l'aspect décoratif, cela évitera à la terre de souiller l'eau.*

6. *La plantation terminée, arrosez copieusement avant de placer le panier dans le bassin.*

Les différentes plantes

Alisma plantago aquatica,
Plantain d'eau.

Plantes de berge

Plantes semi-aquatiques, adaptées à une eau peu profonde. Ce sont celles qui poussent sur les berges. Elles ont une fonction décorative, mais assurent aussi l'ombre nécessaire.

Acorus calamus,
Acore calame.

Acorus calamus, **Acore calame**	Feuilles longues et étroites, petites fleurs jaunâtres groupées en épi Sol : détrempé ou immergé Exposition : soleil ou ombre Floraison : entre mai et juillet Hauteur : de 80 à 160 cm Multiplication : par division de la souche au printemps ou par fragments de rhizome
Alisma plantago aquatica, **Plantain d'eau**	Feuilles en rosette ovales, petites fleurs blanches ou rose pâle Sol : humifère riche Exposition : soleil ou mi-ombre Floraison : de juin à septembre Hauteur : 75 cm Multiplication : par semis ou division en été

Butomus umbellatus,
Jonc fleuri

Longues feuilles étroites, fleurs roses parfumées
Sol : détrempé ou immergé
Exposition : soleil ou mi-ombre
Floraison : de juin à août
Hauteur : de 50 à 150 cm
Multiplication : par fragments de rhizomes

Caltha palustris,
Souci des marais

Feuilles en forme de cœur à bord denté, petites fleurs jaune d'or
Sol : riche humide ou immergé
Exposition : soleil ou mi-ombre
Floraison : d'avril à juillet
Hauteur : de 20 à 50 cm
Multiplication : par division des touffes au printemps ou par semis

Canna indica,
Balisier

Larges feuilles pointues, grandes fleurs colorées
Sol : riche et gorgé d'eau
Exposition : plein soleil
Floraison : de juin à octobre
Hauteur : de 100 à 200 cm
Multiplication : par division de la souche

Cotula coronopifolia,
Cotule

Fines feuilles dentées, petites fleurs jaunes en forme de bouton
Sol : humide ou immergé
Exposition : soleil ou mi-ombre
Floraison : de juin à octobre
Hauteur : de 15 à 20 cm
Multiplication : par semis au printemps ou par transplantation des semis spontanés

Dactylorhiza maculata,
Orchidée des marais

Feuilles lancéolées, tachetées de brun, fleurs roses ou violettes
formant un épi cylindrique
Sol : riche et gorgé d'eau
Exposition : soleil et mi-ombre
Floraison : de mai à juillet
Hauteur : de 30 à 60 cm
Multiplication : par division de la souche au printemps

Dracaena sanderiana,
Dragonnier de Sander

Feuilles panachées, vert brillant et bord jaune pâle
Sol : humide ou immergé
Exposition : soleil ou mi-ombre
Hauteur : de 40 à 60 cm
Multiplication : par boutures au printemps ou en été

Butomus umbellatus,
Jonc fleuri.

Cotula coronopifolia,
Cotule.

Caltha palustris,
Souci des marais.

Houttuynia cordata, *Houttuynia*.

Houttuynia cordata,
Houttuynia.

**Euphorbia palustris,
Euphorbe des marais**

Feuillage vert bleuté se colorant de jaune en mai-juin
Sol : riche et gorgé d'eau
Exposition : soleil
Floraison : mai-juin
Hauteur : de 80 à 150 cm
Multiplication : par semis ou par bouturage au printemps

**Gunnera manicat,
Gunnera géant**

Très larges feuilles découpées et dentées, épi vert clair
Sol : riche et humide
Exposition : soleil ou mi-ombre
Floraison : de juin à août
Hauteur : plus de 2 m
Multiplication : par division de la souche au printemps

**Houttuynia cordata,
Houttuynia**

Feuilles en forme de cœur vert clair, fleurs blanches à quatre pétales
Sol : frais ou immergé
Exposition : indifférente
Floraison : de juillet à septembre
Hauteur : 40 cm
Multiplication : par division de la souche au printemps ou à l'automne

Iris sibirica,
Iris de Sibérie.

Iris sibirica,
Iris de Sibérie

Feuilles étroites, fleurs violet-bleu
Sol : frais ou humide
Exposition : soleil ou mi-ombre
Floraison : mai-juin
Hauteur : de 60 à 90 cm
Multiplication : par division des touffes

Lobelia
Lobélie rouge

Grandes feuilles vertes, fleurs rouge vif
Sol : riche et très humide
Exposition : soleil
Floraison : août, septembre
Hauteur : 80 cm
Multiplication : par semis ou par division de la
touffe au printemps

Mentha aquatica,
Menthe aquatique

Petites feuilles devenant rougeâtres au soleil,
minuscules fleurs bleu lavande
Sol : détrempé ou immergé
Exposition : mi-ombre
Floraison : de juillet à octobre
Hauteur : de 20 à 30 cm
Multiplication : par division au printemps

Mentha aquatica,
Menthe aquatique.

Pontederia cordata, *Pontédérie.*

Menyanthes trifoliata,
Trèfle des marais.

Myosotis scorpioides,
Myosotis d'eau.

Menyanthes trifoliata, Trèfle des marais
Feuilles ovales et légèrement pointues vert foncé, fleurs blanches étoilées
Sol : acide détrempé ou immergé
Exposition : soleil ou mi-ombre
Floraison : d'avril à juin
Hauteur : 25 cm
Multiplication : par division des plants au printemps

Mimulus guttatus, Mimule tacheté
Petites feuilles, fleurs jaunes et gorge tachée de points rouges
Sol : humide ou immergé
Exposition : soleil ou mi-ombre
Floraison : de juillet à septembre
Hauteur : 40 cm
Multiplication : par semis ou bouturage en été

Myosotis scorpioides, Myosotis d'eau
Étroites feuilles vertes, petites fleurs bleu vif
Sol : frais ou immergé
Exposition : soleil ou mi-ombre
Floraison : de mai à octobre
Hauteur : de 20 à 40 cm
Multiplication : par semis ou division

Pontederia cordata, Pontédérie
Feuilles en cœur, fleurs bleues en épi
Sol : riche et humide
Exposition : soleil ou mi-ombre
Floraison : de juin à août
Hauteur : de 40 à 70 cm
Multiplication : par semis ou par division des touffes à la fin du printemps

Sagittaria sagittifolia,
Sagittaire flèche d'eau.

Veronica beccabunga,
Cresson de cheval.

Sagittaria sagittifolia,
Sagittaire flèche d'eau

Feuilles en forme de flèche, verticilles de fleurs blanches
Sol : conteneur rempli de deux tiers de terre de jardin et d'un tiers de fumier
Exposition : soleil ou mi-ombre
Floraison : de juin à août
Hauteur : de 40 à 100 cm
Multiplication : par division des touffes au printemps

Typha angustifolia,
Massette

Minces feuilles rubanées, fleurs brun rouille
Sol : riche humide ou immergé
Exposition : soleil
Floraison : août
Hauteur : de 90 à 180 cm
Multiplication : par division au printemps

Veronica beccabunga,
Cresson de cheval

Feuilles ovales à bords crénelés, fleurs bleu foncé
Sol : humide ou immergé
Exposition : soleil ou mi-ombre
Floraison : de mai à septembre
Hauteur : de 15 à 30 cm
Multiplication : par bouturage en été

Typha angustifolia,
Massette.

Hottonia palustris, *violette d'eau.*

Plantes flottantes

Les plantes flottantes dérivent à la surface. Elles apportent de l'ombre au bassin. Fragiles, elles ne résistent pas aux températures inférieures à 0 °C.

Azolla filiculoides,
Azolle, Mousse des fées.

**Azolla filiculoides,
Azolle, Mousse des fées**

Feuillage dense en forme de lobes arrondis bordés de blanc
Eau : calme et riche en éléments nutritifs
Exposition : à l'abri du vent
Floraison : coloration rouge à l'automne
Hauteur : 1 cm au-dessus de l'eau
Multiplication : spontanée par division des rameaux

**Eichhornia crassipes,
Jacinthe d'eau**

Feuilles rondes et brillantes, fleurs bleu pâle tachées de jaune
Eau : pas trop froide et riche en éléments nutritifs
Exposition : soleil
Floraison : de juin à septembre
Hauteur : 20 cm au-dessus de l'eau
Multiplication : par séparation des stolons

**Hottonia palustris,
Violette d'eau**

Feuilles vert clair et très divisées, fleurs blanches ou rosées
Eau : pas trop froide et riche en éléments nutritifs
Exposition : ombre ou mi-ombre
Floraison : mai, juin
Hauteur : de 25 à 40 cm au-dessus de l'eau
Multiplication : par bouturage

Hottonia palustris,
Violette d'eau.

Hydrocharis morsus ranae,
Mors de grenouille.

Pistia stratiotes,
Laitue d'eau.

Hydrocharis morsus ranae, Feuilles en forme de cœur, petites fleurs
Mors de grenouille blanches
Eau : peu profonde et riche en éléments
nutritifs
Exposition : soleil
Floraison : juillet, août
Hauteur : évolue à la surface de l'eau
Multiplication : par séparation des stolons

Lemna, Petites feuilles ovales ou rondes
Lentilles d'eau Eau : chaude et riche en éléments nutritifs
Exposition : soleil ou mi-ombre
Floraison : rare sous nos climats
Hauteur : couvre la surface de l'eau
Multiplication : spontanée et prolifique

Pistia stratiotes, Feuilles épaisses disposées en rosette
Laitue d'eau Eau : calme et peu profonde
Exposition : soleil
Floraison : de juin à octobre, feuillage vert
velouté
Hauteur : de 5 à 10 cm au-dessus de l'eau
Multiplication : spontanée

Salvinia natans, Petites feuilles ovales
Grande Lentille Eau : calme et non calcaire
Exposition : soleil ou mi-ombre
Hauteur : 5 cm au-dessus de l'eau
Multiplication : spontanée

Trapa natans, Feuilles dentelées disposées en rosette, fleurs
Châtaigne d'eau blanches, fruit noirâtre
Eau : calme et peu profonde
Exposition : soleil
Floraison : de juin à août
Hauteur : 1 cm au-dessus de l'eau
Multiplication : par séparation des rejets
latéraux

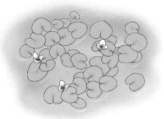

Hydrocharis morsus ranae,
Mors de grenouille.

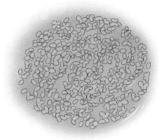

Lemna,
Lentilles d'eau.

Trapa natans,
Châtaigne d'eau.

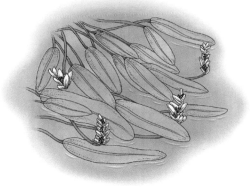

Aponogeton distachyus,
Aubépine d'eau, Herbe du Cap.

Nymphoides peltata,
Gentiane aquatique.

Plantes en eau profonde

Les plantes d'eau profonde sont plantées au fond du bassin. Certaines demeurent en dessous de l'eau, d'autres produisent des fleurs et des feuilles flottantes.

Aponogeton distachyus,
Aubépine d'eau, Herbe du Cap.

Orontium aquaticum,
Orontium.

Aponogeton distachyus, Aubépine d'eau, Herbe du Cap

Feuilles en forme de lanière d'un vert franc, fleurs blanches
Sol : neutre ou acide
Plantation : entre 5 et 50 cm sous l'eau
Exposition : mi-ombre
Floraison : d'avril à octobre
Hauteur : de 5 à 10 cm
Multiplication : par division à la fin du printemps ou semis sous verre

Nymphoides peltata, Gentiane aquatique

Feuilles en forme de cœur, fleur jaune d'or
Plantation : de 20 à 80 cm sous l'eau
Exposition : soleil ou mi-ombre
Floraison : de juillet à octobre
Hauteur : de 5 à 0 cm au-dessus de l'eau
Multiplication : par division à la fin du printemps ou en été

Orontium aquaticum, Orontium

Larges feuilles lancéolées gris-bleu, fleurs en forme de pinceaux blancs et or
Plantation : de 5 à 30 cm sous l'eau
Exposition : soleil ou mi-ombre
Floraison : de mars à juin
Hauteur : 45 cm au-dessus de l'eau
Multiplication : par semis au printemps

Polygonum amphibium,
Renouée.

Polygonum amphibium,
Renouée

Longues feuilles en lanières, fleurs roses ou rouges
Plantation : tous les sols ou à 40 cm environ sous l'eau
Exposition : soleil ou ombre
Floraison : de juillet à septembre
Hauteur : de 30 à 40 cm
Multiplication : par division

Zantedeschia aethiopica,
Arum d'Éthiopie

Longues feuilles vert sombre, fleurs blanc pur
Sol : très humide ou immergé
Exposition : soleil ou mi-ombre
Floraison : printemps et été
Hauteur : de 100 à 120 cm
Multiplication : par division des touffes au printemps

Zantedeschia aethiopica,
Arum d'Éthiopie.

Ceratophyllum demersum,
Cornille émergée.

Myriophyllum aquaticum,
Myriophylle aquatique.

Plantes oxygénantes

Les plantes oxygénantes sont immergées, leur végétation reste sous la surface de l'eau. Très précieuses, elles participent à l'équilibre du bassin en apportant de l'oxygène et en limitant la prolifération des algues.

Elodea canadensis,
Élodée du Canada,
Peste d'eau.

Ceratophyllum demersum, **Cornille émergée**	Verticilles de feuillage vert foncé, fleurs minuscules Plantation : plonger les boutures dans l'eau à une profondeur de 50 cm environ Exposition : indifférente Floraison : entre juin et septembre sous l'eau Multiplication : par bouturage au printemps ou en été
Elodea canadensis, **Élodée du Canada, Peste d'eau**	Petites feuilles lancéolées disposées en verticilles, petites fleurs clairsemées Plantation : plonger dans l'eau à une profondeur de 40 cm à 100 cm Exposition : soleil Floraison : entre mai et août Multiplication : par tronçons de tige
Myriophyllum aquaticum, **Myriophylle aquatique**	Fines feuilles duveteuses, petites fleurs roses ou jaunâtres Plantation : plonger dans l'eau à une profondeur de 30 cm environ Exposition : soleil ou mi-ombre Floraison : entre juin et septembre Multiplication : par bouturage au printemps ou en été

Il est rare qu'un excès de plantes nuise à la beauté du bassin, bien au contraire.

Potamogeton crispus,
Potamot crépu.

Potamogeton crispus, **Potamot crépu**	Feuilles en lanières vert clair, petites fleurs blanches Plantation : plonger dans l'eau à une profondeur de 30 à 200 cm Exposition : soleil Floraison : entre juin et août Multiplication : par bouturage des tiges au printemps ou en été
Ranunculus aquatilis, **Renoncule d'eau**	Feuilles finement découpées, petites fleurs blanches Plantation : plonger dans l'eau jusqu'à une profondeur de 80 cm Exposition : soleil Floraison : juin, juillet Multiplication : par bouturage au printemps et en été

Ranunculus aquatilis,
Renoncule d'eau

Nymphaea pygmaea 'Helvola'.

Nymphaea laydekeri
'Purpurata'.

Les nénuphars

Les nénuphars font partie des vraies plantes aquatiques. Ils fournissent de l'ombre aux poissons et empêchent aussi la prolifération des algues.

Nymphaea
'Froebeli'.

Nymphaea marliacea.
'Chromatella'.

Nymphaea pygmaea 'Helvola'	Petites fleurs jaune clair, feuilles tachetées de mauve et de marron Profondeur : de 15 à 45 cm Convient aux petits bassins
Nymphaea laydekeri 'Purpurata'	Fleurs rouges, feuilles vert foncé tachetées de noir et de marron Profondeur : de 30 à 50 cm Convient aux bassins de taille moyenne
Nymphaea 'Froebeli'	Petites fleurs rouge foncé, feuilles vert-mauve Profondeur : de 15 à 45 cm Convient aux petits bassins
Nymphaea marliacea 'Chromatella'	Fleurs odorantes jaune canari, feuilles vert olive tachetées de marron et de bronze Profondeur : de 30 à 75 cm Convient aux bassins de taille moyenne

Nymphaea 'Mrs George C. Hitchcock'.

Nymphaea marliacea 'Carnea'	Très grandes fleurs roses, larges feuilles vert foncé Profondeur : de 45 à 150 cm Convient aux grands bassins
Nymphaea 'Mrs George Pring'	Très grandes fleurs roses, larges feuilles vert foncé Profondeur : de 45 à 150 cm Convient aux grands bassins
Nymphaea 'Mrs George C. Hitchcock'	Fleurs rose foncé, larges feuilles vert foncé Profondeur : de 20 à 40 cm Nymphéa exotique à floraison nocturne

Nymphaea
'Mrs George Pring'.

Nymphaea marliacea
'Carnea'.

Pour tous ces nénuphars, multiplication par séparation des rejets sur le rhizome ou par fragments de rhizome.

Nymphaea 'Froebeli'.

Nymphaea marliacea 'Carnea'.

Nymphaea laydekeri 'Purpurata'.

Les nénuphars

Nymphaea pygmaea 'Helvola'.

Nymphaea 'Gonnère'.

Il existe un très grand nombre de variétés de nymphéas. Rustiques ou exotiques, tous sont de magnifiques plantes aquatiques. En les peignant, Claude Monet rendit un extraordinaire hommage à la « nymphe des eaux ».

Qu'ils soient de petite taille, comme la *pygmaea* 'Helvola', ou au contraire immenses, comme l'Escarboucle', tous ont besoin de soleil pour prospérer.

Dès les premiers beaux jours, leurs ravissantes fleurs émergeront de la surface de l'eau. En général, les fleurs ne durent qu'une journée, mais sont remplacées chaque jour. Les nymphéas rustiques sont faciles à cultiver. Plus colorés et souvent davantage parfumés que les rustiques, les nymphéas exotiques sont, quant à eux, plus difficiles à satisfaire. Ils ont besoin de beaucoup de lumière et de chaleur et ne supportent pas les gelées. Ils doivent donc hiverner durant la saison froide. Il faut les entreposer en aquarium dans une pièce fraîche et les protéger par une couche de feuilles.

Pour éviter que les nymphéas n'envahissent trop l'espace, il est préférable d'utiliser des paniers de plantation que l'on tapisse de feutre ou de toile de jute. On y dépose une terre argileuse et lourde, sans aucun ajout de fumier. Le rhizome doit être placé contre la paroi, légèrement incliné. Retirez les parties abîmées, s'il y en a, et frottez les parties taillées avec du charbon de bois. Il faut ensuite recouvrir de terre jusqu'à 2 cm du bord et finir par une couche de gravier ou de sable. Posez les paniers sur des briques, à une profondeur de 10 à 15 cm. Cela facilitera leur développement. Dès que les feuilles se mettent à flotter à la surface de l'eau, ôtez progressivement les briques jusqu'à atteindre la profondeur recommandée.

Les lotus *(Nelumbo)*

Brahma est très souvent représenté avec un lotus, fleur sacrée dans les religions indiennes. Les Japonais comparent le lotus à un bol de saké. Gracieux et parfumé, c'est un véritable charme.

Au bout de grandes tiges, ses fleurs surplombent le bassin pendant tout l'été tandis que ses immenses feuilles hydrofuges s'étalent sur l'eau.

Il lui faut une terre riche et une profondeur suffisante en pleine terre. Par ailleurs, il ne supporte pas le gel. Il se développe beaucoup, et a même tendance à envahir tout l'espace : un pied a besoin d'au moins 4 m². Le substrat de plantation doit contenir 20 % de fumier et 80 % de terre franche. Dans un caisson en bois ou un panier de culture, il est recommandé de planter le rhizome à l'horizontale, avec beaucoup de précautions car il est fort fragile. Il faut ensuite le recouvrir de 3 ou 4 cm de terre, en laissant dépasser le bourgeon et terminer par une couche de gravier.

Au début de l'hiver, il faut sortir de l'eau le caisson ou le panier et l'entreposer dans un local frais, mais à l'abri du gel.

Très répandue, l'espèce *Nelumbo lutea*, Lotus d'Amérique, est une variété rustique aux fleurs blanches ou jaunes. Elle est cultivable dans les régions à fort ensoleillement.

Le nénuphar est la plus courante et la plus belle des plantes aquatiques.

La faune aquatique

La présence de l'eau avec toute la vie qu'elle est susceptible d'abriter, possède un pouvoir enchanteur et apaisant.

Accueillir les poissons

Les différentes espèces de poissons
- Les poissons indigènes
- Les variétés exotiques
- Les carpes koi

Les autres hôtes
- Les oiseaux
- Les amphibiens et les reptiles
- Les invertébrés
- Éloigner les indésirables

Accueillir les poissons

Difficile d'imaginer un jardin d'eau sans poissons. Leurs couleurs et les mouvements qu'ils impriment à l'eau sont un vrai plaisir pour l'œil. Ils participent aussi à l'équilibre du cycle biologique. Mais pour maintenir cet indispensable équilibre, il convient de respecter quelques règles : les poissons ont besoin d'une eau claire, de suffisamment d'es-pace et d'une nourriture bien dosée.

Le choix des poissons dépend de plusieurs facteurs : la superficie du bassin, son volume d'eau et sa profondeur, sa température et la nature du fond. Il faut aussi tenir compte de la taille adulte des poissons. Une carpe koi a besoin d'une surface d'au moins 20 m² et de plus de 10 000 l d'eau, tandis que des poissons rouges se satisfont de 10 à 15 m² et de 3 000 l d'eau.

Au centre et sur un tiers du bassin, la profondeur doit atteindre au moins 90 cm. Des plantes bien oxy-génantes (myriophilles, potamots, élodées) doivent y constituer la majeure partie de la végétation. Autour, on peut se contenter d'une végétation plus clairsemée.

Le pH de l'eau doit se situer entre 6 et 8,5. Pour convenir aux poissons indigènes, l'eau ne doit pas descendre en dessous de 4 °C et aller au-delà de 28 °C. En revanche, la carpe koi supporte des températures plus élevées.

L'eau ne trouve son bon équilibre qu'après 4 à 6 semaines. C'est le temps nécessaire avant d'introduire les poissons dans le bassin. Mieux vaut les installer de la fin du printemps à l'été, lorsque la température est supérieure à 10 °C.

Ils n'apprécient guère les brusques changements de température.

Il est préférable de se procurer les poissons chez un éleveur et non de les prélever dans un étang naturel qui risquerait d'être pollué. Leurs écailles et leurs nageoires doivent

SAISONS ET ALIMENTATION

Printemps : lorsque la température dépasse 10 °C, il faut recommencer à donner de petites quantités 1 ou 2 fois par jour.
Été : 4 ou 5 fois par jour.
Automne : le poisson a besoin d'une grande quantité de nourriture afin de constituer des réserves pour l'hiver.
Hiver : en dessous de 10 °C, les poissons ne s'intéressent plus à la nourriture. Mais si c'était le cas, un peu de pain complet ferait l'affaire.

La plupart des poissons indigènes s'adaptent très bien à la vie du bassin et exigent relativement peu de soins.

1. *Posez le sac fermé à la surface de l'eau et laissez-le flotter pendant 20 minutes.*

2. *Ajoutez de l'eau du bassin dans le sac, refermez-le et laissez-le flotter à nouveau pendant 20 minutes.*

3. *L'eau du sac a alors pris progressivement la température de celle du bassin. Vous pouvez y lâcher les poissons.*

être intactes et leurs couleurs bien vives.

Avant de les libérer, il est recommandé de les laisser flotter à la surface de l'eau, dans leur sac de transport, pendant une quinzaine de minutes, puis de faire progressivement pénétrer un peu d'eau à l'intérieur du sac.

Les algues et les micro-organismes présents dans l'eau constituent une nourriture de choix pour les poissons. Mais au printemps et en été, période de grande activité, et en automne, où il leur faut constituer des réserves pour l'hiver, un complément nutritionnel est nécessaire. Il est préférable de distribuer la nourriture toujours à la même heure et au même endroit.

Les quantités doivent être réduites afin que l'excédent ne puisse polluer l'eau. En principe, il ne faut donner que ce qui peut être absorbé en 10 minutes au plus.

Les poissons apprécient les granulés et les paillettes, mais aussi les vers de terre, les petits crustacés, les haricots et les pâtes cuites. Ils sont capables de supporter une absence de nourriture pendant 2 semaines. Et, durant l'hiver, lorsque l'eau descend au-dessous de 8 °C, il devient inutile de leur donner de la nourriture : ils sont en quasi-hibernation.

Si l'eau risque de geler, il est alors indispensable de prendre des mesures. On peut couvrir le bassin d'une bâche isolante ou installer une pompe équipée d'un câble chauffant. On peut aussi transférer les poissons dans un petit bassin que l'on entrepose dans un endroit plus clément.

Les différentes espèces de poissons

© L'Oasis - Auxerre 89

Les poissons indigènes

**Phoxinus phoxinus,
Vairon**

Taille : de 8 à 14 cm
Circule en bancs dans des eaux claires et peu profondes. La femelle dépose ses œufs sur les rives.

**Gasterosteus aculeatus,
Épinoche**

Taille : de 7 à 8 cm
Préfère les eaux peu profondes. Il est recommandé de ne pas introduire plus de deux couples dans un même bassin.

**Leuciscus idus orfus,
Ide mélanote**

Taille : de 30 à 50 cm
A besoin d'au moins 3 m² pour se sentir à l'aise et nager aussi rapidement qu'il lui convient. Elle apprécie les eaux profondes et bien oxygénées au fond desquelles elle cherche sa nourriture.

Gobio gobio, **Goujon**	Taille : de 10 à 15 cm Apprécie les eaux claires et tempérées, au fond sableux. C'est là qu'il creuse pour trouver de quoi se nourrir : vers, larves, gastéropodes.
Tinca tinca, **Tanche**	Taille : de 40 à 60 cm Passe la majeure partie de son temps au fond du bassin, occupée à consommer les déchets. Elle est donc peu visible.
Cyprinus carpio, **Carpe commune**	Taille : de 40 à 80 cm Est très prolifique, grossit vite et beaucoup. Elle a besoin d'une eau riche dans laquelle elle prélève une grande quantité de zooplancton, d'herbes aquatiques et de gastéropodes.

Du poisson rouge commun à la très belle carpe koi, de nombreuses espèces, indigènes ou exotiques, sont susceptibles de peupler le jardin d'eau.

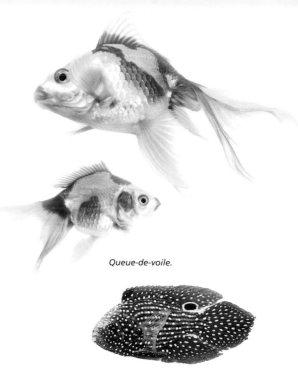

Queue-de-voile.

Shubunkin.

Les variétés exotiques

Poisson-comète.

Les variétés exotiques présentent souvent des formes et des couleurs étranges.

Poisson rouge

Carassius auratus **Poisson rouge**	**Taille :** de 12 à 30 cm Est particulièrement résistant et s'adapte à de petites surfaces. Très robuste, il résiste bien à l'eau froide hivernale tout comme aux températures élevées de l'été.
Poisson-comète	**Taille :** de 12 à 30 cm Est robuste et se reproduit facilement. Il supporte les températures basses dans un bassin dont la profondeur dépasse 80 cm.
Queue-de-voile	**Taille :** 9 cm A besoin de beaucoup d'espace. L'eau dans laquelle il évolue doit avoir une température supérieure à 10 °C en hiver et inférieure à 25 °C en été.
Shubunkin	**Taille :** environ 38 cm Possède des écailles multicolores et marbrées. Il se reproduit facilement et peut passer l'hiver dans le bassin si sa profondeur excède 80 cm.

Oasis

Les carpes koi

Unies, bicolores ou multicolores, les carpes koi, à l'aspect velouté ou aux reflets métalliques, sont toutes de magnifiques poissons dont la longévité peut atteindre 70 ans. Leur taille, qui dépasse parfois le mètre, leur besoin en nourriture et donc en oxygène exigent un espace suffisamment grand, c'est-à-dire au moins 20 m² par poisson. Quant à la profondeur du bassin, elle doit atteindre au minimum 1,50 m sur une surface de 1 m² au moins. Lors de son installation, il faut éviter à la carpe koi tout choc thermique. Elle s'apprivoise très bien, se laisse même cajoler et vient volontiers manger dans la main de son soigneur. Si l'eau de son bassin est bien claire, ses couleurs n'en seront que plus éclatantes. Mais elle sait aussi se contenter d'une eau plus trouble.

Les autres hôtes

Les oiseaux

Un plan d'eau de 25 m² est suffisant pour accueillir un couple de sarcelles d'hiver, tandis que les canards carolins ou mandarins ont plutôt

Outre les poissons, de nombreux animaux viennent s'abriter dans le jardin d'eau. Oiseaux, batraciens, insectes et même reptiles sont susceptibles d'y trouver un refuge et de quoi se nourrir. On peut, si l'on veut, offrir des abris supplémentaires à ces hôtes : entasser des branches, des pierres ou encore du bois en décomposition...

besoin de 50 m² pour évoluer agréablement. Ce sont ces espèces qui sont les mieux adaptées aux petits étangs de jardin. Leur taille réduite et leur plumage en font des hôtes ailés de choix. Les cygnes, quant à eux, ont besoin de davantage d'espace et les oies ont un goût immodéré pour les grenouilles !

Canards et sarcelles se nourrissent d'algues, de lentilles d'eau, de larves d'insectes. Toutefois, pour épargner les œufs des batraciens et des poissons, on peut leur donner des granulés, à heure fixe et toujours au même endroit, c'est-à-dire directement dans l'eau à faible profondeur. Sur les berges, une végétation dense doit leur permettre de se cacher et de nidifier. Une pente douce, aménagée sur la rive, leur facilitera l'accès au jardin où ils iront se reposer au sec de temps à autre. Pour protéger les oisillons des prédateurs, un nichoir surélevé est un merveilleux abri.

Le bassin aquatique est un véritable refuge pour les grenouilles, les crapauds et autres amphibiens. Mais attention à la couleuvre à collier qui les aime particulièrement.

Les amphibiens et les reptiles

Les grenouilles, les crapauds et les tritons ne mettent pas longtemps à découvrir un nouveau point d'eau. Il suffit qu'il soit bien ensoleillé et que la végétation soit assez dense pour servir de support au frai. Fidèles, ils y reviendront alors chaque année. Au passage, ils débarrassent les lieux des limaces indésirables. Des petites planches ou des pierres plates le long des berges facilitent leur accès à l'eau, tout comme des branches ou des feuilles de nénuphar.

Des milliers de têtards de grenouille naissent au début du printemps, mais peu survivent. En été, les grenouilles se prélassent dans les hautes herbes du bassin ou à proximité. En hiver, elles hibernent sous les pierres ou dans la vase au fond de l'eau.

Les crapauds, quant à eux, passent le plus clair de leur temps sur la terre ferme. Ils ne regagnent l'eau qu'au printemps, pour frayer. La nuit, ils chassent insectes, vers et limaces. Le jour, ils se réfugient sous des pierres ou dans un terrier. Ils hibernent dans un trou ou sous des pierres.

Dans l'eau, les tritons sont actifs aussi bien le jour que la nuit. C'est là qu'ils trouvent insectes, petits crustacés et vers dont ils se nourrissent. Vers le mois de septembre, ils s'enfoncent dans le sol ou dans la vase pour hiberner.

Si votre bassin est déserté par les amphibiens, il est encore possible d'y remédier en y déposant des larves. Il suffit de se les procurer chez un éleveur spécialisé et de les transporter dans un bocal rempli d'un tiers d'eau et de deux tiers d'air. La couleuvre à collier, comme d'autres couleuvres d'ailleurs, apprécie particulièrement l'eau car elle trouve là de quoi se nourrir : amphibiens, poissons, petits rongeurs. Mais elle est absolument inoffensive pour l'homme. Elle chasse le jour et se cache volontiers sous les grandes pierres. En hiver, elle disparaît dans un terrier ou sous des rochers.

Certaines tortues d'eau, comme la cistude, habitent volontiers les bassins s'ils sont assez ensoleillés. Un tronc d'arbre ou un petit radeau au ras de l'eau leur sert de promontoire à bains de soleil. Des granulés pour chat, de petits morceaux de viande ou de poisson feront leur bonheur. En hiver, elles disparaissent dans la vase au fond de l'eau.

Les invertébrés

Une grande quantité d'insectes rôdent à proximité des bassins. Beaucoup sont capables de parcourir de longues distances pour rallier un nouveau point d'eau. C'est le cas des libellules et des demoiselles. Redoutables prédatrices, elles se nourrissent de petits insectes. Quant à la notonecte et au dytique marginé, ils s'attaquent volontiers aux poissons. Mieux vaut donc s'en débarrasser. Mais la plupart des insectes participent malgré eux au bon équilibre du bassin. Ils constituent pour les amphibiens et les poissons une nourriture de choix, sans laquelle ces derniers ne pourraient survivre.

Un peu d'eau et de vase récoltées dans un étang et quelques escargots d'eau permettront d'ensemencer le bassin. Après un délai de 6 semaines, l'introduction des poissons se fera dans les meilleures conditions.

Éloigner les indésirables

Le héron apprécie beaucoup les poissons. Il rôde très discrètement, à l'aube ou au crépuscule.

Pour l'éloigner, on peut installer un leurre en plastique à son effigie ou encore tendre un filet sur le bassin. Le surmulot détruit nids et couvées à grande vitesse tandis que le ragondin et le rat musqué provoquent l'affaissement des berges en creusant leurs innombrables terriers.

Le campagnol aquatique, quant à lui, aime beaucoup les plantes, les racines, mais aussi les amphibiens et les poissons.

Pour écarter efficacement tout ce petit monde, on peut placer des appâts empoisonnés à l'entrée des terriers. Mais, par sécurité, on les aura préalablement placés à l'intérieur d'un morceau de tuyau en PVC. Plus sophistiqué, on peut aussi installer un détecteur à infrarouges. Celui-ci émet un signal sonore chaque fois qu'un animal à sang chaud s'en approche.

Chacun remplit bien sa fonction. Les insectes contribuent à maintenir l'équilibre du bassin. Quant au héron, mieux vaut s'en méfier : il apprécie particulièrement les poissons.

© L'Oasis - AUXERRE 89

De l'eau, des jardins et des styles

Qu'il s'agisse d'un jardin classique, japonais ou tropical ou d'un jardin sauvage ou de rocaille, l'ambition reste toujours la même : la recherche et l'affirmation d'un certain style et d'un mariage harmonieux entre la culture et la nature.

© L'Oasis - Auxerre

Le jardin classique

Il suffit parfois d'un simple élément pour donner un caractère à votre jardin. Mais si vous en avez l'envie et les moyens – qui peuvent du reste être modestes –, pourquoi ne pas concevoir et réaliser un jardin au style bien spécifique et affirmé ?

© L'Oasis - Auxerre 89

Le jardin classique ou l'art d'équilibrer la belle finition, la rigueur et la géométrie des formes qui le composent.

C'est à la Renaissance, avec son goût pour l'Antiquité, que les architectes se mirent à élaborer des jardins censés exprimer l'harmonie et la beauté formelle. Tout comme dans les jardins encore plus anciens des pays islamiques ou de l'Empire byzantin, l'eau en était l'un des éléments essentiels. Autour d'un bassin au dessin régulier, de fontaines classiques, de jets d'eau et de petits ruisseaux, s'organise une végétation domestiquée et revue par un « jardinier » au talent de sculpteur.

Un jardin classique se doit donc de respecter des proportions équilibrées et présente des tracés géométriques. Les haies sont précisément taillées et les massifs de fleurs qui entourent le bassin sont ordonnés de façon plutôt stricte.

Une ou deux statues bien placées accentueront encore l'aspect un peu théâtral. Mais, au milieu de toute cette « rigueur », on peut évidemment se permettre certaines libertés. Pourquoi ne pas imaginer, au milieu de bordures bien taillées délimitant les espaces, quelques massifs désordonnés de fleurs ?

Les topiaires

Grâce à l'art topiaire, c'est-à-dire à la sculpture des végétaux, on peut obtenir de saisissantes formes figuratives ou géométriques. Seules certaines essences peuvent se prêter à ces transformations.

Quelques plantes

Antirrhinum majus, Gueule-de-loup, fleurs roses en touffe

Begonia semperflorens, Bégonia toujours fleuri, fleurs roses très décoratives

Crataegus monogyna, Aubépine, fleurs blanches en grappe

Dahlia, Dahlia, grandes fleurs aux couleurs très variées

Fuchsia, Fuchsia, fleurs pendantes à pétales rouges, roses ou blancs

Hibiscus rosa-chinensis, Hibiscus, fleurs rouges

Hyacinthus orientalis, Jacinthe, fleurs bleues très parfumées

Lilium candidum, Lis candide, fleurs blanches en trompette

Magnolia grandiflora, Magnolia à grandes fleurs, grandes fleurs blanches aux pétales épais

Rosa, Rose, plus de 18 000 variétés, toutes plus belles les unes que les autres !

Avec certaines essences, on peut réaliser des formes plus complexes, figuratives ou géométriques, une sorte de sculpture de végétaux.

© L'Oasis - AUXERRE 89

© L'Oasis - AUXERRE 89

ÉLÉMENTS DÉCORATIFS

Bustes placés sur un piédestal.
Statues de divinités mythologiques.
Petites fontaines classiques et jet
d'eau.

© L'Oasis – Auxerre 89

79

Le jardin japonais

Depuis les temps les plus anciens, les Japonais manifestent un goût profond pour la nature. Ils en firent le sujet d'innombrables peintures et créèrent des jardins semblables à de véritables œuvres d'art. Dans ces lieux, fortement symboliques, on vient, depuis fort longtemps, accomplir des rites religieux. L'eau en est l'un des éléments essentiels.

Le jardin japonais reproduit souvent en miniature un morceau du paysage naturel. Il est composé avec le plus grand art, et l'on y retrouve un étang, des pierres soigneusement rangées de façon à créer un dessin particulier, des rochers disposés en groupes ou disséminés çà et là, formant une montagne, une cascade ou encore figurant une côte abrupte.

Il ne s'agit évidemment pas de recréer un authentique jardin japonais. Un agencement particulier, certaines plantes typées et quelques éléments peuvent suffire à suggérer ce style immémorial. Quelques carpes kois, aux merveilleuses couleurs, compléteront, pour le plus grand plaisir des yeux, ce tableau japonisant.

Autour d'un plan d'eau s'organise donc le jardin, à travers lequel on découvre de petites scènes naturelles : îlots, cascades, groupes de rochers…

Le jardin japonais rappellera la sensibilité artistique et le goût profond pour la nature du pays du Soleil-Levant.

© L'Oasis - Auxerre 89

Quelques plantes

Ailanthus altissima, Ailante, fleurs verdâtres en panicules

Astilbe, Reine des prés, grands plumets rouges, roses ou blancs

Camellia japonica, Camélia du japon, fleurs rouges, de forme simple

Cycas revoluta, Cycas du Japon, grand feuillage en éventail au sommet

Equisetum hyemale, Prêle d'hiver, longues tiges d'un vert bleuté

Fatsia japonica, Fatsia du Japon, fleurs blanches en panicules

Hemerocallis, Hémérocalle, très belles fleurs jaunes, rouges ou pourpres

Hydrangea macrophylla, Hortensia commun, boule bleue ou rose

Miscanthus japonicus, Miscanthus du Japon, tiges rigides et grandes feuilles vertes

Phyllostachys aurea, Bambou doré, feuilles rubanées vert clair

Le pont et quelques éléments décoratifs

De forme cintrée, il peut être très simple, en lattes de bois et sans garde-fou.

Plus élaboré, doté d'un garde-fou aux formes japonisantes, il peut être laqué d'un rouge vif qui contrastera de façon saisissante avec la végétation.

Le *sushi odoshi,* « épouvantail pour cerf », se trouve dans les magasins spécialisés. Cette sculpture en bois produit un claquement sec et régulier.

Pour le faire fonctionner, insérez le tuyau d'une pompe à l'intérieur (capacité de 900 l/h).

Cascade de dimensions réduites, suggérant un petit torrent de montagne.

Lanterne *oki-gata.*

© L'Oasis - Auxerre 89.

Plusieurs éléments typés, sculptures cascades ainsi qu'un choix approprié de la végétation, évoqueront les sensations et l'ambiance caractéristiques du Japon.

Le jardin de rocaille

Un terrain en relief ou accidenté, condition première pour l'installation d'un jardin de rocaille.

La rocaille évoque des lieux plutôt sauvages. L'eau, associée aux éléments minéraux et à une végétation appropriée, peut être du plus bel effet. Les rochers multiplient les jeux de transparence et de miroitement, et le mouvement d'une cascade anime le jardin en le remplissant d'un délicieux fond sonore.

Si le terrain est trop plat, il faudra l'aménager de façon à lui donner du relief et un aspect plutôt accidenté. Il suffit pour cela, avant d'installer les rochers, de prélever de la terre à certains endroits et d'en rajouter à d'autres, afin de créer des dépressions et des monticules.

Le bassin doit s'intégrer parfaitement au paysage au point de donner l'illusion d'avoir toujours été là. À cet égard, le béton est un matériau qui se fond assez facilement dans l'environnement. Les parois et les bordures seront dissimulées grâce à des pierres ou des rochers amalgamés au béton.

Si le terrain est suffisamment grand, on peut aménager plusieurs petits bassins reliés par une cascade, ce qui renforcera l'effet «nature» du jardin.

*Il est indispensable de choisir
des plantes adaptées au terrain
et au climat.
Une fois la plantation terminée,
épandez un paillis à base de
gravillon pour limiter la
prolifération des mauvaises
herbes.
Évitez les plantes aux racines
trop envahissantes.*

Quelques plantes

Bergenia cordifolia, Bergénia, fleurs roses

Campanula carpatica, Campanule des Carpates, fleurs bleues ou blanches

Elymus arenarius, Élyme des sables, graminée aux feuilles bleutées, épis vert pâle

Festuca glauca, Fétuque glauque, graminée au feuillage bleu argent, épis blancs

Filicineae, Fougère, feuillage très découpé

Koelaria glauca, Koelaria, graminée au feuillage gris bleuté

Mimulus, Mimule, petites fleurs jaunes, rouges ou bleu lavande

Molinia caerulea, Molinie bleue, feuilles bleu-vert en été, jaune doré en automne

Sagina subulata, Sagine, tapis moussus, petites fleurs blanches

Sedum acre, Orpin âcre, fleurs jaunes

Construire une rocaille

Si l'on ne dispose pas de roches sur le site ou à proximité, il faut alors se rendre dans les carrières de la région. Choisissez-les de même origine mais de diverses tailles. Essayez de composer des groupes de différents volumes, n'hésitez pas à constituer quelques gros blocs.

Retirez une frange de terre puis installez tout d'abord les roches les plus grosses sur leur côté le plus large. Enfoncez-les suffisamment dans le sol pour éviter qu'elles ne basculent. Tassez bien la terre tout autour. Disposez ensuite les pierres de moindre taille.

Les possibilités de choix des roches conditionnent la richesse et la variété de l'aménagement de votre jardin.

© L'Oasis - AUXERRE 39

© L'Oasis - AUXERRE 8

Le jardin tropical

En été, la plupart des plantes tropicales ont besoin d'une température ambiante qui se situe entre 20 et 25 °C et d'une hygrométrie supérieure à 75 %. En hiver, la température peut descendre jusqu'à 15 °C.

Une véranda, ou une serre suffisamment grande, est un lieu parfait pour accueillir un bassin et cultiver des espèces exotiques qui réclament lumière et chaleur.

Si les exigences sont respectées, on obtient rapidement de magnifiques plantes dont la luxuriance contribue à créer une ambiance exceptionnelle.

Il faut toutefois procéder à quelques aménagements. Les plantes exotiques ont besoin d'humidité, surtout lorsque la température est supérieure à 20 °C.

L'évaporation de l'eau du bassin n'étant pas toujours suffisante, il peut être utile d'installer un système de brumisation automatique. Par ailleurs, le renouvellement de l'air sera assuré par une ventilation mécanique.

Un chauffage peut s'avérer indispensable pour l'hiver.

LE BASSIN

Il peut être réalisé en PVC ou en béton et le tour décoré de carrelage ou de lattes de bois exotique. L'évaporation due à la température élevée exige un compensateur de niveau.

Poissons, amphibiens ou tortues aquatiques trouveront là un habitat de choix. Mais il devient alors indispensable, pour garder une eau bien pure, d'installer un système de filtration.

© L'Oasis - Auxerre 89

Quelques plantes

Chlorophytum comosum, Phalangère, longues feuilles vertes rubanées

Codiaeum variegatum, Croton, petites fleurs blanches en grappes, feuilles allant du vert au pourpre

Cordyline terminalis, Cordyline, larges feuilles lancéolées vert foncé

Dracaena marginata, Dragonnier, fleurs jaunes, feuilles lancéolées

Maranta leuconeura, Maranta, petites fleurs blanches, feuilles vert émeraude veinées de rouge

Nelumbo nucifera, Lotus des Indes, Fleurs roses ou blanches

Nymphaea, Nymphéa exotique, quantité d'espèces aux fleurs rouges, bleues, jaunes, blanches…

Pistia stratiotes, Laitue d'eau, feuilles en rosette, épaisses et veloutées

Salvinia natans, Salvinie nageante, petites feuilles ovales

Thalia dealbata, Thalia, feuilles ovales vert bleuté

Le jardin sauvage

Laisser croître librement les plantes indigènes n'interdit pas, bien au contraire, d'introduire des variétés étrangères, afin de créer un savant mélange.
Formez des massifs plutôt importants et limitez le nombre d'espèces différentes.

Aucune règle ne détermine la composition d'un jardin sauvage, si ce n'est qu'il faut recréer un morceau de nature authentique. On peut donc donner libre cours à son imagination, tout comme on peut rendre leur liberté aux plantes. En effet, c'est leur croissance apparemment incontrôlée, voire même leur exubérance, qui confère son style au jardin. Il doit ressembler à une fri-che : le fouillis et le désordre ne sont donc pas à proscrire, bien au contraire. Mais ils peuvent être discrètement et savamment organisés autour et sur un bassin qui constitue le point central d'un tel paysage.

Par ailleurs, l'eau et la végétation touffue attireront nombres d'oiseaux aquatiques qui trouveront là aisément des cachettes parfaites pour leurs nids.

Il peut être réalisé en PVC ou en béton. Le choix de sa forme est essentiel : le bassin doit apparaître comme une émanation naturelle du paysage. Pour cela, il doit donc suivre le dessin du terrain et ne pas se soustraire à ses accidents éventuels.

Une végétation dense doit couvrir ses rives. Des cannes de Provence en accentueront l'aspect sauvage.

Un groupe de rochers aux formes irrégulières et un petit pont en bois brut trouveront ici leur place.

On peut aussi reproduire un petit ruisseau au cours sinueux, d'autant plus facile à installer sur un terrain en pente.

Quelques plantes

Acorus calamus, Acore calame, longues feuilles étroites, petites feuilles jaunes en épi

Butomus umbellatus, Jonc fleuri, fleurs longues et étroites vert olive

Glyceria aquatica, Glycérie aquatique, graminée aux longues feuilles souples vert tendre

Hosta fortunei, Hosta, fleurs lilas, très grandes feuilles vert glauque

Iris pseudacorus, Iris des marais, fleurs jaunes, feuilles rubanées vert glauque

Lythrum, Salicaire rose, fleurs rouges en forme d'étoile, longues feuilles vertes

Phragmites communis, Roseau commun, feuillage vert bleuté, fleurs violacées

Potamogeton, Potamot à feuilles crépues, longues feuilles vert clair

Rhus typhina, Sumac de Virginie, fleurs rouges en épi, grandes feuilles vertes puis rouges

Sagittaria sagittifolia, Sagittaire, feuilles en forme de flèche, fleurs blanches

© L'Oasis - AUXERRE 89

L'entretien du jardin aquatique

© L'Oasis - AUXERRE 89

© L'Oasis - AUXERRE 89

Quelques conseils

Au printemps, pour installer les plantes aquatiques, attendez que l'eau se réchauffe.

N'introduisez les poissons qu'après plusieurs semaines, une fois l'équilibre biologique atteint.

Évitez les lauriers à proximité du bassin ; leurs graines et leurs feuilles sont toxiques. Les cerisiers, les pruniers et les pêchers portent, quant à eux, de nombreux pucerons qui apprécient les nénuphars.

Ôtez les feuilles mortes de l'eau sans tarder, car leur décomposition pollue le bassin. En automne, vous pouvez tendre un filet à la surface pour faciliter le nettoyage.

Enlevez les algues en surnombre, elles ne sont bénéfiques qu'en petites quantités. Utilisez un algicide ou plongez un sac de paille de seigle au fond de l'eau.

Dans un petit bassin, un filtre est indispensable. En oxygénant l'eau, un jet d'eau limitera la prolifération des algues. Certaines plantes telles que l'élodée, l'hottonie des marais, le potamot crépu, la myriophylle… sont d'excellents oxygénants naturels.

Si la surface de l'eau est envahie par des plantes adventices, enroulez-les autour d'un bâton pour les extraire puis utilisez un algicide.

Veillez à ne pas introduire de lentilles d'eau au moment de l'installation des plantes. Lavez les végétaux avant de les implanter.

Évitez d'installer des plantes de marais sauvages : joncs, roseaux… Leur prolifération est incontrôlable.

En été, ôtez les plantes qui prolifèrent trop.

Si l'eau devient trop sombre, remplacez-la complètement : c'est un signe de pollution. Procédez en la renouvelant par tiers et effectuez un désen-vasement du bassin. Si vous utilisez une pompe, fixez un manchon filtrant à l'extrémité pour éviter aux petits animaux d'être aspirés.

Enlevez la vase progressivement sur 2 ou 3 ans. Cette opération doit être faite en été pour éviter de blesser les batraciens qui pourraient hiberner au fond.

N'utilisez aucun engrais chimique, même à proximité du bassin. Il existe des terreaux et des engrais spécialement conçus pour les plantes aqua-tiques. Quoi qu'il en soit, il est préférable d'utiliser une terre peu calcaire et d'éviter les substrats riches en fumier ou en compost.

Si vos nénuphars produisent de moins en moins de fleurs, supprimez une partie des feuilles, en particulier celles qui sont abîmées ou anciennes. Au printemps, sortez les rhizomes des paniers, divisez-les puis replantez-les dans un nouveau terreau. Veillez par ailleurs à ce qu'ils soient exposés au soleil au moins pendant 4 heures par jour.

Pour éviter que l'eau ne gèle en hiver, laissez flotter une bouteille en plas-tique à moitié remplie d'eau ou un fagot de bois.

En été, pour compenser l'évaporation, rajoutez régulièrement de l'eau pour maintenir le niveau et éviter une trop forte montée de la tempéra-ture. Si le bassin est trop exposé, plantez des arbres, installez une pergola ou une tonnelle pour amener de l'ombre.

Si votre bassin est infesté par des sangsues, il faudra impérativement trai-ter l'eau. Le Neguvon, dosé à raison de 1 g pour 2 500 l d'eau, est un traitement efficace. Renouvelez 10 jours après la première intervention.

Vider le bassin et le nettoyer

Au fil des saisons, il s'agit de s'acquitter de quelques tâches afin de conserver au bassin son bon équilibre : vérification du niveau de l'eau,

Le jardin d'eau exige peu d'entretien : les plantes n'ont bien évidemment pas besoin d'être arrosées et il ne faut donner de la nourriture aux poissons que pendant leur période d'activité.

du fonctionnement des appareils électriques, suppression des plantes malades, des poissons morts, etc. Tous les 3 ans environ, il est indispensable de vider entièrement votre bassin. Cette opération permet d'éliminer la vase, les débris déposés au fond et les plantes trop envahissantes. Entre-temps, il suffit de le vider chaque année d'un quart de son eau pour la remplacer par une eau propre.

Si vous possédez une pompe, il suffit de dévisser l'arrivée d'eau et de raccorder l'appareil à un tuyau d'arrosage.

Remplissez une grande bassine avec de l'eau du bassin. Attrapez les poissons et les batraciens à l'aide d'une épuisette. Installez-les dans la bassine recouverte d'un filet et entreposez-la bien à l'ombre.

Sortez les paniers de l'eau et veillez à arroser souvent les espèces d'eau profonde. Placez les plantes flottantes et oxygénantes dans des bassines ou des seaux remplis d'eau.

Avant de procéder au nettoyage, laissez le bassin sécher de 2 à 3 jours. Enlevez toute la vase avec un seau. Utilisez un jet d'eau puissant pour arracher les algues, puis frottez le revêtement avec un balai.

Si besoin est, réparez les fissures. Procédez à la division des plantes devenues trop envahissantes et nettoyez les paniers.

Le bassin est flambant neuf et peut accueillir de nouveau eau, plantes et animaux.

QUELQUES OUTILS NÉCESSAIRES À L'ENTRETIEN

Un aspirateur à bassin ou un râteau pour ôter les herbes de surface.
Des pinces actionnées par un câble pour éliminer les débris.
Des ciseaux à longues poignées pour couper les plantes.
Une brosse dure pour retirer les algues.
Une épuisette pour ramasser les feuilles mortes et attraper les poissons.

PARASITES ET MALADIES DES PLANTES

Les pucerons : ils déposent leurs œufs sur les plantes à feuilles tendres. Les larves dévorent les tissus entre les nervures. Il faut éliminer les feuilles infectées. En été, les pucerons du nénuphar envahissent toute la plante. Il faut immerger les feuilles pendant un certain temps pour noyer les parasites.
Le trichoptère : il dépose ses œufs sur les plantes flottantes. Les larves se nourrissent des feuilles et des racines. Elles construisent de petits nids cylindriques qu'il faut prélever et détruire.
Les escargots d'eau se nourrissent d'algues et de déchets, mais ils peuvent s'attaquer aux jeunes plantes. Il faut alors les retirer à l'aide d'une épuisette.
Le dytique marginé pond ses œufs au milieu de l'été sur les feuilles des nénuphars. Les larves se nourrissent des feuilles qui finissent par pourrir. Enlevez les feuilles endommagées et arrosez le reste.
Le marsonia est un champignon qui attaque les nénuphars lorsqu'il fait chaud et humide. Les feuilles se dessèchent et se couvrent de taches noires. Il faut aussitôt retirer les feuilles malades.

Au printemps

Le bassin

Si le bassin est dépourvu de filet, commencez par retirer toutes les feuilles mortes, les algues et une partie des lentilles d'eau à l'aide d'un aspirateur, d'un râteau ou d'une épuisette.
Testez l'acidité, la teneur en nitrites et nitrates et la dureté de l'eau.
Nettoyez la pompe et vérifiez l'étanchéité des joints. Installez-la dans le bassin et démarrez le système.
Vérifiez les jets d'eau et les cascades s'il y en a, et mettez-les en marche dès que possible.
Elles sont immergées et ne doivent jamais fonctionner à sec.

Les plantes

Sortez les paniers et les pots pour procéder à leur nettoyage.
Coupez les tiges mortes et ce qui semble pourri.
Divisez les plantes devenues trop envahissantes et replantez-les dans d'autres paniers.
Ajoutez des plantes oxygénantes pour limiter la croissance des algues.
À la fin du printemps, ajoutez des granulés d'engrais au fond des pots.
Introduisez de nouvelles plantes. Installez les plantes vivaces sur les berges.
Plantez les arbustes à feuillage persistant. Attendez juin pour les plantes flottantes.

Les poissons

Recommencez à nourrir les poissons dès que l'eau atteint une température de 10 °C.
Vérifiez leur état de santé.
S'ils ont passé l'hiver en aquarium, ne les remettez dans l'eau que lorsque la température du bassin est proche de celle de l'aquarium.

© L'Oasis - Auxerre 89

En été

Le bassin   Si l'eau s'évapore trop, remettez-la à niveau à l'aide d'un tuyau d'arrosage.
Nettoyez régulièrement la pompe et les filtres.
Les fortes chaleurs favorisent le développement des algues vertes. Pour vous
en débarrasser, vous pouvez utiliser un algicide, un filtre extérieur pourvu de
cartouches nettoyables ou oxygéner l'eau naturellement par les plantes à
feuillage flottant. Vous pouvez aussi asperger régulièrement le bassin.
Ôtez les herbes et les algues en les enroulant autour d'un bâton.

Les plantes   Retirez régulièrement le feuillage jauni des plantes.
Lorsque le feuillage des nénuphars devient trop envahissant, enlevez-en
une partie.
Divisez les touffes d'iris des marais.
Si des pucerons ont envahi les feuilles des nénuphars, immergez-les pendant
quelques heures dans l'eau pour noyer les indésirables.
Arrosez les feuilles des plantes de berge pour les débarrasser des insectes.

Les poissons   Les poissons doivent être nourris chaque jour.
La température de l'eau permet d'introduire de nouveaux sujets.

© L'Oasis - Auxerre 89

À l'automne

Le bassin
Nettoyez le filtre de la pompe et rangez-la dans un endroit sec pour l'hiver.
Nettoyez le bassin des feuilles mortes et des débris à l'aide d'un aspirateur ou d'une épuisette.
Installez un filet de protection à mailles fines au-dessus de l'eau pour recueillir les feuilles mortes qui polluent l'eau.

Les plantes
Retirez les fleurs et les feuilles fanées de toutes les plantes flottantes.
Coupez au-dessus du niveau de l'eau les plantes émergées dont les feuilles ont bruni.
Éliminez les algues.
Coupez les tiges et les feuilles des plantes de berge qui ont jauni à 10 cm au-dessus de l'eau.
Protégez les plantes fragiles en recouvrant les souches de feuilles mortes ou de paille.
Sortez les espèces qui ne supportent pas le gel, nénuphars exotiques, thalias, papyrus… et placez-les pour l'hiver dans une serre chaude ou tempérée.

Les poissons
À la fin de l'été, donnez-leur une alimentation riche en protéines.
Diminuez l'alimentation jusqu'à la supprimer lorsque l'eau descend au-dessous de 6 °C.
En dessous de 15 °C, placez les poissons exotiques dans un aquarium.

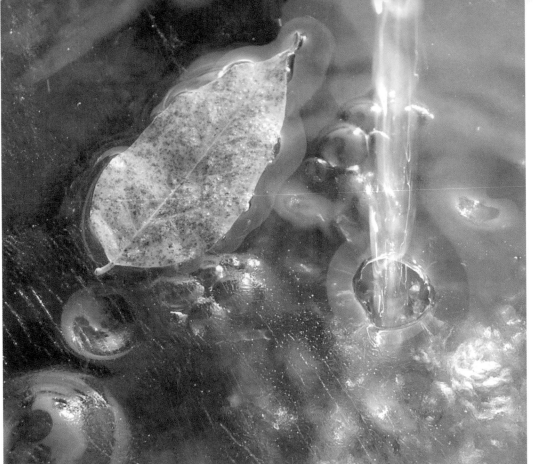

© l'Oasis - Auxerre 89

En hiver

Le bassin

Si le bassin est équipé d'une pompe à eau ou à air, vérifiez son bon fonctionnement. Placez la pompe à eau à 6 pouces du fond pour éviter qu'elle ne refroidisse trop l'eau.
En cas de gel, posez une casserole d'eau bouillante sur la surface plusieurs fois par jour. Évitez de verser l'eau directement, cela risquerait de blesser les poissons. Ne cassez jamais la glace à coups de marteau, c'est aussi un risque pour les poissons.
Laissez flotter des bouteilles en plastique ou des morceaux de polystyrène pour limiter la formation de glace sur les parois de béton.

Les plantes

Coupez les tiges sèches des bambous.
Profitez-en pour choisir et commander de nouvelles plantes.

Les poissons

Ils se tiennent au fond du bassin, inutile de les nourrir.

Acide
se dit d'une eau ou d'une terre dont le pH est inférieur à 7.

Adventice
se dit d'une plante qui pousse massivement parmi les autres plantes cultivées.

Alcaline
se dit d'une eau ou d'un terre dont le pH est supérieur à 7.

Algue
organisme unicellulaire dont le développement dans l'eau est encouragé par la chaleur et une forte luminosité.

Annuelle
se dit d'une plante qui fleurit et meurt la même année.

Anthère
partie de l'étamine qui contient le pollen.

Aquatique
se dit d'une plante vivant dans l'eau, plus ou moins immergée.

Assec
période durant laquelle l'étang est vidé de son eau.

Benthos
organismes vivant sur le fond ou dans la vase.

Bisannuelle
se dit d'une plante qui accomplit son cycle végétatif sur deux années.

Bonde
dispositif de vidange d'un étang.

Bourgeon
pousse terminale qui renferme tous les organes futurs de la plante.

Bouture
fragment détaché d'une plante pouvant donner une plante semblable au contact de la terre.

Bractée
petite feuille apparaissant à la base du pédoncule.

Bulbe
organe souterrain qui contient les réserves nutritives de la plante.

Caduc
se dit d'un végétal qui perd ses feuilles annuellement.

Calcaire
se dit d'une eau ou d'un sol riche en carbonate de calcium.

Capitule
ensemble de plusieurs fleurs serrées, sur un même support.

Chaulage
réduction de l'acidité du sol au moyen de chaux.

Compactage
opération consistant à tasser de la terre ou du sable.

Compost
mélange de terre, de matières organiques et de chaux servant à amender la terre.

Cultivar
variété de plante obtenue par l'homme, résultant d'un croisement ou d'une sélection.

Déhiscent
se dit d'un fruit qui s'ouvre à maturité pour libérer ses graines.

Diatomée
microalgue formée de silice.

Diurne
se dit d'une plante qui s'épanouit le jour et se referme la nuit.

Drageon
pousse issue d'une racine et formant des racines adventives.

Eau acide
eau dont le pH se situe entre 4 et 5.

Eau basique
eau dont le pH se situe entre 8 et 10.

Eau réductrice
eau contenant des substances qui absorbent l'oxygène.

Engrais
substance qui améliore la fertilité de la terre.

Étamine
partie mâle de la fleur qui porte le pollen.

Fongicide
produit servant à éliminer les maladies dues à des champignons pathogènes.

Frai
comportement et période de reproduction chez les poissons.

Glauque
d'un bleu verdâtre.

Greffon
partie de tige ou de feuille prélevée sur un sujet et fixée sur un porte-greffe.

Herbacée
se dit d'une plante à tige souple, non ligneuse.

Humifère
se dit d'un sol contenant de l'humus.

Hybride
plante issue d'un croisement entre deux

espèces ou deux variétés différentes.

Hydrofuge
produit que l'on mélange au ciment ou au béton pour le rendre imperméable.

Indigène
se dit d'une plante ou d'un animal originaire de la région.

Lancéolée
se dit d'une feuille dont les deux extrémités se terminent en pointe.

Ligneux
se dit d'un végétal produisant du bois.

Limbe
partie large de la feuille.

Marais
zone partiellement ou totalement inondée.

Marcottage
mode de multiplication des plantes qui consiste à enterrer la tige.

Multiplication
reproduction des plantes par fécondation des graines ou par bouturage, marcottage…

Nutriment
sel organique ou minéral, présent dans l'eau, à la base de la chaîne alimentaire.

Ombelle
ensemble de fleurs formant un parasol.

Oxygénante
se dit d'une plante libérant dans l'eau une quantité importante d'oxygène par photosynthèse.

Paillis
couche protectrice en paille, en tourbe, en écorce de pin…

Paludéenne
se dit d'une plante de marais se développant en sol détrempé.

Pédoncule
petite tige portant la fleur.

Persistant
se dit d'un feuillage qui reste vert plusieurs années.

Pétiole
partie de la feuille qui s'accroche à la tige.

pH
échelle permettant d'évaluer l'acidité de l'eau ou du sol.

Phytoplancton
plancton végétal.

Plancton
ensemble d'organismes de très petite taille vivant en suspension dans l'eau.

Rejet
nouvelle pousse issue d'une souche ou d'une tige.

Rhizome
tige horizontale, souterraine, dont la partie inférieure produit des racines adventives et la partie supérieure de nouvelles tiges.

Roselière
zone où poussent les roseaux.

Rubanée
se dit d'une feuille en forme de ruban.

Rustique
se dit d'une plante qui résiste aux intempéries.

Sagittée
se dit d'une feuille en forme de triangle.

Sédiment
dépôt minéral et organique au fond d'un étang.

Semi-rustique
se dit d'une plante supportant les intempéries mais pas les grands froids.

Spore
organe reproducteur des plantes sans fleurs.

Stigmate
partie supérieure du pistil recevant le pollen.

Terre de bruyère
terreau à base de feuilles décomposées.

Terreau
engrais composé de terre végétale, de substances animales et végétales décomposées.

Tourbe
matière organique formée de végétaux décomposés à l'abri de l'air, servant à amender les sols.

Turbide
se dit d'une eau trouble.

Tuteur
support rigide servant à soutenir les plantes fragiles ou les jeunes arbres.

Variété
sous-groupe d'une espèce naturelle.

Vivace
se dit d'une plante dont la souche perdure plusieurs années.

Carnet d'adresses

Quelques jardins aquatiques à visiter

La Bambouseraie
30140 Générargues
Tél. : 04 66 61 70 47

Musée Claude-Monet
84, rue Claude-Monet
27620 Giverny
Tél. : 02 32 51 28 21

Musée Albert-Kahn
14, rue Port
92100 Boulogne-Billancourt
Tél. : 01 46 04 52 80

Parc André-Citroën
Quai André-Citroën
75015 Paris
Tél. : 01 45 58 35 40

Parc de la Tête d'or
69006 Lyon
Tél. : 04 78 89 02 03

Les Eaux de la Mulle
Rue Mulhoff, 54c
4300 Waremme
Belgique
Tél : 0 19 32 42 29

Sur les oiseaux aquatiques

Centre ornithologique d'Île-de-France
18, rue Alexis-Lepère
93100 Montreuil
Tél. : 01 48 51 92 00

Ligue française pour la protection des oiseaux
La Corderie royale BP 263
17305 Rochefort Cedex
Tél. : 05 46 83 95 86

Sur les amphibiens et les reptiles

Société batracologique de France
Muséum national d'histoire naturelle
25, rue Cuvier
75005 Paris

Ministère de l'Aménagement du territoire et de l'Environnement Direction Nature et Paysage
(espèces protégées)
20, rue Ségur
75007 Paris
Tél. : 01 42 19 20 21

Sites internet
www.amidesjardins.com
www.aquaclic.net
www.aquatic.com
www.gardenweb.com
www.jardinage.com
www.lesbeauxjardins.com

Crédits photographiques

Geoffrey Rogers © Interpet Publishing
pp. 2, 7 d, 13 hd, 13 cd, 13 bd,14, 16, 19, 20, 21, 22, 23, 24,
25, 26, 27, 30, 32, 33, 39 dc, 41, 43,45, 48, 50, 52,
53, 56, 59, 60, 63 bd, 65 dh, dc et db, 68 gc,
71 bd, 96-1, 96-2, 96-5, 95 db, 97,99.
L'Oasis - Auxerre 89
pp.5, 13g, 31 hg et hd, 37 h, 49, 55 hd, 66, 69 h, 69 c,75 c,
76-77, 78, 79 h, 81, 82 h, 83 bg, 84 h, 85 h, 87 b, 88, 90, 91,
94-95, 95 c, 95 dh, 95 dc, 101, 102, 103.
Patrick Vaendel
pp. 3, 6-7, 9, 17, 31 bg, 34, 35, 37 b, 38-39, 39 db, 57, 61 h,
62-63, 62 hd, 65 h, 67, 74 hg, 74 bg, 79 b, 80, 82 b, 83 h,
83 bd, 84 b, 85 b, 86, 87 b, 89, 92, 93, 96-4, 100, 108.
Éric Devantay
pp.71 h, 71 c, 72-73.
Georges Birchen
pp.31 bd, 39 hd, 54, 55 bd, 61 b, 62 dc, 69 bd, 96-3.
Matthieu Prier
pp.68 h et bg

Couverture
1 : L'Oasis - Auxerre 89
2 : Patrick Vaendel
3 : Interpet Publishing
4 : Patrick Vaendel
5 : L'Oasis - Auxerre 89

Illustrations :
Stuart Watkinson, John Sutton, Guy Smith Mainline Design,
Maidstone, Kent, © Interpet Publishing.

Gildaz Mazurié
pp. 19, 41.

Réalisé par COPYRIGHT pour les éditions S. A. E. P.

Conception graphique : Alison Murphy et Irène Thomas
Mise en pages : Gildaz Mazurié
Coordination éditoriale : Gracieuse Licari

Dépôt légal 1e trim. 2003 - n° 2713

Imprimé en U.E.